Met een kof

vol gedachten

Met een koffer vol gedachten

ONDER REDACTIE VAN

KATHERINE
GOVIER

MOURIA

© 2004 Katherine Govier
© 2006 Nederlandse vertaling Uitgeverij Mouria, Amsterdam
Vertaling: Lidwien Biekmann, Ton Heuvelmans, Nicolette Hoekmeijer en
Eelco Vijzelaar
Oorspronkelijke titel: *Solo – Writers on Pilgrimage*
Omslagontwerp: Janine Jansen
Omslagfotografie: Photonica

ISBN 90 458 4863 5 / 9789045848631
NUR302

www.mouria.nl

INHOUD

INLEIDING

Laatst bedacht ik dat reizen behoorlijk link aan het worden is, maar dat we het desondanks blijven doen. En met reizen bedoel ik niet de suffe zakenreisjes of zomervakanties, maar de grote reizen die we onszelf opleggen.

Het is bekend dat bij het reizen elke serendipiteit is verdwenen en dat we die zelfs proberen te vermijden. Maar er is één bepaalde reis die we al lang in ons hoofd hebben en die we per se ooit willen maken. Hoe gevaarlijk de weg ook is, hoe ergerlijk de veiligheidscontroles en hoe oncomfortabel de kameelzadels of de busstoelen ook zijn: we zullen ons doel bereiken.

Het is niets rationeels, misschien eerder een obsessie. Gemakkelijk is het in elk geval bijna nooit. Verre einders lonken, beloven ons ik weet niet wat. We worden aangesproken op onze innerlijke noodzaak, op een verborgen kant van onszelf; we willen één worden met de bestemming. Om er te komen moeten we hindernissen nemen, draken verslaan, vechten met de beren op de weg.

Bij de samenstelling van *Vrouwen op reis* viel me op dat de sterkste reisverhalen over pelgrimstochten gaan, in welke vorm dan ook. Persoonlijke pelgrimages naar onwaarschijnlijke, godverlaten, onvoorstelbare oorden.

Ik kreeg toen het vermoeden dat alle schrijvers wel één bijzondere reis of persoonlijke bedevaart in hun hoofd hebben. En daarom heb ik vijftien schrijvers gevraagd om het verslag van die reis op papier te zetten.

Volgens de *Oxford English Dictionary* is een pelgrimage: 'Een reis naar een heilige plaats, als uiting van religieuze devotie.' Maar ik was niet geïnteresseerd in de standaardbedevaart naar Mekka of Santiago de Compostela. Ik wilde exotischer bestemmingen. Ik stelde me voor dat iemand naar het vluchtelingenkamp zou willen waar zijn ouders elkaar hebben ontmoet, gewoon om te kijken of hij in hun schoenen kon gaan staan, met hun ogen de plek van dat nieuwe begin kon zien. Of iemand die misschien op de fiets een continent zou willen doorkruisen om haar krachten te meten. En er zou ook vast wel iemand naar Graceland willen om het graf van Elvis te bezoeken, of naar Schotland, voor de perfecte whisky.

Ik wilde geen luchthartig ondernomen reizen. In de middeleeuwen gingen pelgrims op pad om eerbied te betonen, vergeving af te smeken of verlossing te vragen van een of andere pestilentie. Het kostte maanden, zelfs jaren van hun leven om het 'beloofde land' te bereiken. De reis was gevaarlijk, soms zelfs levensgevaarlijk. Ook tegenwoordig wordt op heilige plaatsen, zoals in Mekka en Jeruzalem, nog bloed vergoten. De drang die mensen voelen om op pelgrimstocht te gaan, kan ook nu nog heel hevig zijn.

Maar wat is er tegenwoordig nog heilig? En heilig voor wie? Wat is de moderne tegenhanger van de middeleeuwse pelgrimstocht? Misschien de geheel verzorgde reis naar de zon? Dat heeft tenslotte ook iets met aanbidding te maken. Of een uitstapje naar een vijfsterrenrestaurant? Een reisje naar Hollywood om naar de sterren te kijken? We bezoeken 'een plaats die wordt vereerd in verband met een persoon of gebeurtenis' (OED) zoals een graf of een bergtop. Sommige auteurs vroegen me waarnaar ik precies op zoek was. Niet naar een bepaald soort reis, zei ik, als er maar veel op het spel stond. Lijden, overgave, verheffing tot het hogere, althans de hoop daarop. Vernedering, die altijd op de loer ligt, want op doortocht zijn betekent het verlies van waardigheid. De lokale bevolking beschouwt pelgrims immers, net als alle toeristen, als een plaag. En ongetwijfeld ook een dreigende farce, want hopen dat je door het reizen echt verandert is natuurlijk naïef.

Toen de verhalen binnenkwamen, was ik vooral verrast door het feit dat de populairste bestemming thuis was. Waar gaan wij in deze verwarrende, onpersoonlijke wereld naartoe? Het lijkt wel alsof we vooral op zoek zijn naar onze familie. 'Zijn de persoonlijke goden dan in opmars?' vroeg Kate Grenville in een e-mail. Ja. Grenville trok de Australische bush in om het huis van haar betoudovergrootvader te bekijken, in de hoop een spook te zien. Maar de geesten die ze daar in de wildernis aantrof, waren van een geheel andere orde. Wendy Law-Yone doorstond de adembenemende bochten van de oude Birmaweg, waarover zowel haar Engelse als haar Chinese grootouders naar Birma reden. Maar uiteindelijk kon zij, nog steeds in ballingschap, alleen door een hek naar het verboden land aan de andere kant van de grens kijken. Als zij het oude land wel had mogen betreden, zou ze dan niet net als iedereen hebben gemerkt dat de sporen overwoekerd zijn? Wat een schok voor onze ijdelheid: alles is gewoon doorgegaan zonder ons! Andere goden hebben de onze vervangen, goden die we niet eens kennen.

De tweede verrassing was dat de natuur de status van relikwie had gekregen. Andrew Greig vatte het plan op om de Assynt te bezoeken, de geliefde bergstreek van de stervende Schotse dichter Norman MacCaig. 'Ik was opgezadeld met een taak, een queeste, een eerbetoon,' schrijft Greig, om in dat verlaten groene meer te gaan vissen. Ook Margaret Atwood, die per schip via de noordwestelijke doorgang reist, wordt vergezeld door herinneringen aan een bevriende dichteres. Ze brengt een eerbetoon aan het noorden van Canada, dat eerst door de Inuit in bezit werd genomen, daarna door Franklin, en tot slot door Gwendolyn MacEwan, die het Noorden met woorden in kaart bracht, hoewel ze er in haar korte leven nooit is geweest.

In het hilarische, staccato stuk van Vijay Nambisan komt de pelgrimstocht naar de Ganges bij Haridwar in al zijn uitzinnigheid tot leven. Terwijl armoede ooit een vereiste was, is de pelgrimage tegenwoordig in India, met miljoenen gelovigen, big business geworden. Nambisan kiest er persoonlijk voor om níét te gaan en het vanaf een afstandje verbijsterd aan te zien.

In tegenstelling tot de drukte bij de bedevaart naar de Ganges, zijn de meeste pelgrimstochten in deze bundel heel solitair. We gaan niet als een stel Chaucerianen in een jolige groep van twintig pelgrims te paard op weg, verhalen opdissend en over herbergtafels rollend van de lol, tenzij we voetbalfans van Roddy Doyle zijn en naar Ierland in de WK-finale kijken. Kun je de wereldkampioenschappen beschouwen als een reis? De christelijke symboliek dringt zich natuurlijk op: de wereldbeker als graal. Er wordt geleden, er is sprake van dorst, hevige dorst, die gelest wordt in de kroeg. Er is smart en zelfkastijding. De mensen verzamelen zich voor de gevechten, en uiteindelijk is er een viering, met gezang, vergeving, en een massale ontlading.

Bij het samenstellen van deze bundel begon ik langzamerhand overal een pelgrimstocht in te zien. Overal zijn boetelingen onderweg, met hun jakobsschelp, ploeterend om het heiligdom te bereiken. Uithoudingsvermogen, dat moest er zeker in zitten vond ik, en ik werd beloond met de marathon van Michael Collins. Collins werkte in een raamloos kantoor van Microsoft en deed van de weeromstuit mee aan een extreme ultra-marathon in de Himalaya, de enige plek ter wereld waar je tegelijkertijd de Mount Everest, de Lhotse, Makalu en de Kanchenjunga kunt zien, vier van de vijf hoogste bergen ter wereld. Daar kreeg hij het 'holle, onwerkelijke gevoel' van de ware pelgrim, maar dan wel gepaard met tunnelvisie, duizeligheid en dreigende verstikking. En net zoals de pelgrims van vroeger zocht ook Nino Ricci op de Galápagoseilanden naar aanwijzingen, naar tekens aan de wand.

Met als metgezel zijn romanfiguur, iemand die daar dertig jaar eerder was, en vragen stelt over de vinkjes van Darwin.

Misschien is de pelgrimstocht wel een basale vorm van menselijke expressie, zoals een wake, of een bruiloft, of anders wellicht een verplaatsing naar een beter jachtterrein. Als dat zo is, dan is de inhoudelijke kant ervan verloren gegaan. Voor Douglas Coupland is er geen doel. Zijn verhaal is een van de drie in deze bundel die al eerder zijn verschenen. Coupland biedt, ondanks het afwezige doel, wel een noodzakelijk tegenwicht. Het reizen zelf is de neurose; het voornemen om in de lucht te zijn, om onderweg te zijn. Hij is alleen, speelt patience (dat ook wel 'solitaire' genoemd wordt), 'een manier om de tijd te laten verdwijnen' door 'spookkaarten op te leggen'. Hij denkt na over het idee van de indianen aan de westkust dat de ziel niet sneller kan reizen dan een mens kan lopen. Als we vliegen, blijft onze ziel achter op de grond en lijden we aan een metafysische jetlag. Om de ziel de kans te geven ons lichaam bij te benen, moeten we 'tijd doden'.

Joy Kogawa zou zeker instemmen met de gedachte dat de reiziger niet zozeer te maken heeft met plaats als wel met tijd. Het hele idee van een pelgrimstocht heeft iets nostalgisch: we zijn ergens al eens eerder geweest, of we willen er al een tijd naartoe. Misschien is daar vroeger iets gebeurd. Kogawa ziet haar hele leven als een pelgrimstocht: 'De loop van het aardse bestaan wordt als reis beschouwd, of als een tijdelijk verblijf in het lichaam.' Ze vertelt dat ze op haar negenenzestigste – bijna toevallig maar gedeeltelijk expres – het huis vindt dat ze op haar zesde moest verlaten toen de Japanse Canadezen naar interneringskampen werden gestuurd.

Deze verhalen waren niet gemakkelijk te schrijven. Er is heel wat gezucht en gekreun en uitstel aan te pas gekomen. Alleen al het probleem van het einde. Gewoon aankomen was niet voldoende, want wat dan? Wat moest er vervolgens gebeuren? Het doel van de reis, dat aan het begin nog zo duidelijk was, is vervaagd. Wat zoeken we eigenlijk? Willen we een geest gunstig stemmen? Een wond genezen; de grillen van de geschiedenis onder ogen zien? Geen dingen die gemakkelijk te bereiken zijn. Een ongrijpbare vis vangen? Maar welke vis dan? De perfecte vis. Perfectie is het eigenlijke doel – in dit leven, niet daarna – maar perfectie is de kerk ontstegen en heeft zich genesteld in de kunst: iets perfect maken is een vorm van concentratie. Zoals Mark Kurlansky vertelt in zijn prachtige beschrijving van de pure noten in de klaagzangen in een Spaans klooster: als je met God wilt praten, moet je een prachtig geluid maken, niet om hem te laten luisteren, maar om jezelf te laten luisteren. 'God heeft geen oren,' zegt de monnik voordat hij in zijn zwarte kap verdwijnt. Dat zou schokkend nieuws zijn geweest voor een middeleeuwse pelgrim die dezelfde weg aflegde naar Santiago de Compostela.

Een pelgrimstocht is een mentale discipline. Dat is de boodschap van Miyamoto Musashi, wiens *De strategie van de Samoerai* een bijbel is geworden voor mij en andere beoefenaren van de zwaardkunst. Ik ben naar de grot gegaan waar hij zich een halfjaar heeft afgezonderd om het te schrijven. Maar weer klinkt het gerommel van geweld; het bloed van de geschiedenis blijft plakken. Er zit een duistere kant aan dit heroveren, aan deze zoektocht. Nuruddin Farah wordt vanuit zijn ballingschap naar zijn vaderland Somalië getrokken door de anarchie en de moord die daar heersen. Hij hoopt dat er vrede komt, dat 'de geschiedenis opnieuw wordt uitgevonden', maar intussen heeft hij het gevoel dat het zijn onderliggende motivatie voor die reis is om 'de contouren van de angst te schetsen'.

Een plek waarnaar je terugkeert is 'tegelijk herinnering en werkelijkheid', zoals Cees Nooteboom schrijft in zijn boek *De omweg naar Santiago*. De terugkeer vereist een verslag van het verleden. Er is dus verdriet en ironie in de terugkeer van de pelgrim.

En soms grenst die overlap tussen vroeger en nu aan het absurde. De hele onderneming wordt een farce. Je wint het spel niet, je vangt de vis niet, er is geen spook, je wordt misleid en voert een domme escapade uit, je wordt uitgelachen en afgezet door de onverstoorbare burgers die niet de behoefte voelen om ergens naartoe te gaan. Bovendien heb je het West-Nijlvirus onder de leden of je laat je beste kans lopen, zoals Gail Singer in Hollywood, als ze Robin Williams weigert voor haar film. De wind waait uit het oosten, en dan bijten de vissen niet.

Wat dan?

Het is een pelgrimstocht, dus alles komt van pas. Alles telt mee als je er een beter mens van kunt worden. Niets wordt verspild. Nog meer beproevingen, nog meer omwegen, zwaardere dagen, koudere nachten? Des te beter voor je ziel. Mislukking bestaat niet. Dat is het goede nieuws. Teleurstelling en zelfkastijding maken deel uit van deze bezigheid. De beloning kan komen in de vorm van een stille openbaring. Zoals Nino Ricci schrijft: 'Het was alsof ik mijn hele leven al had gevochten tegen de wereld en er aan die strijd plotseling een einde was gekomen.' Het einde van de reis belooft een verandering: in ons leven of in ons vooruitzicht op een volgend leven. Maar is dat wel zo? Als je een pelgrim bent, ben je dat levenslang. Je kunt die daad niet ongedaan maken, je kunt niet terugkeren en jezelf weer in je omgeving terugplaatsen alsof je nooit vertrokken was. Een schrijver is altijd een reiziger, is altijd op zoek, staat nooit zoals de anderen langs de kant van de weg, maar wordt beheerst door zijn bestemming.

De villa van

Mr. Wiseman

KATE GRENVILLE

Kate Grenville kreeg in 2002 de Orange Prize voor *Dromen van volmaaktheid*, een roman over een onwaarschijnlijke liefdesgeschiedenis in een Australisch provinciestadje. Ze publiceerde nog zes romans en drie non-fictieboeken. In 2005 verscheen haar roman *The Secret River*, over de pioniersstrijd aan het begin van de negentiende eeuw bij Hawkesbury River vlak bij Sidney.

In het puriteinse Australië van mijn jeugd kon je op zondag alleen drank kopen als je een 'echte' reiziger was: iemand die diezelfde dag minstens vijfenzeventig kilometer had gereisd. Op zondag zat het in Wiseman's Ferry, een gat precies vijfenzeventig kilometer ten noorden van Sidney, vol met mensen die een pilsje achteroversloegen met de brede grijns van de brave burger die de wet te slim af is geweest.

Ik ben vandaag niet op zoek naar bier, maar naar Solomon Wiseman, mijn betoudovergrootvader. Zou hij joods geweest zijn? Niemand die het weet. Er zijn in de familie maar een paar dingen over hem bekend: hij was veerman op de Thames, analfabeet, bungelde aan de onderkant van het Engelse klassensysteem en was voorbestemd voor een leven in armoede. In 1804 stal hij een lading hout die hij moest vervoeren en werd vervolgens gedeporteerd naar Botany Bay, *voor de duur van zijn aardse bestaan.*

Iets beters had hem niet kunnen overkomen.

Zoals zoveel veroordeelden kreeg hij al snel gratie en hij wist veertig hectare land te bemachtigen aan de Hawkesbury River. De kolonisten in die tijd deden alsof heel New South Wales een verlaten gebied was, en de gouverneur deelde land uit aan iedereen die het wilde hebben.

Aan deze brede getijdenrivier begon de Londense veerman een nieuw leven dat een afspiegeling was van zijn vorige bestaan. Hij zette een veerdienst op, bouwde een herberg – die nog steeds bestaat –, deed wat aan landbouw en ongetwijfeld ook aan illegaal drank stoken. Het duurde niet lang voordat hij als ex-gevangene op ultieme wijze wraak nam en bakken geld ging verdienen. Hij liet een stenen landhuis bouwen en een olieverfportret maken en droeg een hoge hoed en een jacquet.

Er doen allerlei verhalen over hem de ronde die niet bepaald vleiend zijn: dat hij de dwangarbeiders die voor hem werkten vals beschuldigde zodat ze hun vrijheid niet konden verdienen. Dat hij zijn klanten belazerde. Dat hij zijn vrouw, Jane, vermoordde door haar van het balkon op de eerste verdieping te duwen waardoor ze op de stenen traptreden terechtkwam.

Dat laatste had mijn belangstelling gewekt. Ik wil dat gerucht onderzoeken en het gebruiken als uitgangspunt voor het hele verhaal over de familie Wiseman en hun veertig hectare grond. De geest van Jane Wiseman schijnt rond te hangen in het hotel en ik hoop dat ze aan mij zal verschijnen en me de ware toedracht van haar dood zal vertellen. Ik ben tenslotte familie van haar.

Ik ben van plan de nacht door te brengen in het hotel in de hoop daar een spraakzame Jane te ontmoeten. Daarna ga ik een nacht kamperen in de bush om aan den lijve te ondervinden hoe eenzaam de Wisemans zich aanvankelijk moeten hebben gevoeld toen ze zich aan deze rivier vestigden.

Ik sluip op een frisse herfstochtend vlak na zonsopgang het huis uit en begin met een opgewekt gevoel aan mijn ontdekkingstocht. Het is anderhalf uur rijden naar Wiseman's Ferry. Het eerste stuk voert door de buitenwijken. Hoe verder ik kom, hoe meer garages de huizen hebben. Na de gordel van de drie garages komen de seniorendorpen: Elmsleigh Gardens, Surrey Manor. Daarna de kwekerijen, vol chrysanten voor moederdag, de boomgaarden en de maneges.

Het verkeer komt op gang maar rijdt de andere kant op, naar

de stad. Ik heb het gevoel dat ik tegen de stroom in reis. Als ik kijk naar de forenzen die met een wezenloze blik hun werkdag tegemoetzien, lijkt het alsof ik op vakantie ben, al ben ik natuurlijk gewoon aan het werk.

Ik weet zeker dat ik de stad achter me heb gelaten als ik een aantal uitpuilende zakken langs de kant van de weg zie liggen en een groot bord met de handgeschreven tekst: MEST $2.50. Er staan een paar paarden met hun hoofd over het hek, alsof ze op klanten staan te wachten.

De weg loopt geleidelijk omhoog en de tuinen en boomgaarden maken plaats voor eucalyptusbomen met donkere stammen en dicht kreupelhout. De bush rukt hier bijna op tot aan de weg.

Toen Wiseman zich hier aan de Hawkesbury vestigde, was er nog geen weg. Hij heeft de reis waarschijnlijk per boot gemaakt, vanuit de haven van Sydney; eerst dertig kilometer noordwaarts langs de kust en dan via de woeste riviermonding van de Hawkesbury naar het westen. Hij heeft op het juiste tij moeten wachten voordat hij via de vele bochten en kronkels van de rivier zijn stuk land kon bereiken. Misschien heeft dat wel een week geduurd, afhankelijk van de wind en de stroming. De boot zal niet veel groter zijn geweest dan mijn auto. Het moet een moeilijke en gevaarlijke onderneming geweest zijn en het was, net als de deportatie, een enkele reis; een verbanning binnen de verbanning.

Het lijkt alsof ik al eeuwig door deze groene tunnel door de bush rijd als de weg zonder waarschuwing plotseling naar beneden gaat en de bush op slag verandert: in plaats van de sombere, donkere eucalyptusbomen staan hier *gums*, eucalyptusbomen met een lichtere, zilvergrijze stam. HAWKINS LOOKOUT, staat er op een bord. Ik zet de auto langs de kant van de weg en kijk uit over de spectaculaire kloof.

Ik sta op het uitkijkpunt, aan de rand van het diepe ravijn, en ik houd me vast aan het hek, zoekend naar houvast. Het lijkt wel een landschap uit een sprookje: imponerend, melodramatisch bijna, te immens om te kunnen overzien. Ver in de diepte ligt de rivier, een gigantisch, kakikleurig lint, dicht tegen de oevers gedrukt. Als de zon op het water schijnt, zie je een soort bruine schittering, een groot, reflecterend vlak. Het lint kronkelt zich majestueus tussen de bush en de enorme rotsen door, langs bijna verticale rotswanden zoals die waar ik nu sta, met grote uitstulpingen en afbrokkelende stukken zandsteen die naar beneden dreigen te storten.

Als ik weer in de auto zit, heb ik het gevoel dat ik in het buitenland ben. Ik denk zelfs even dat ik niet het juiste geld bij me heb. De weg leidt naar beneden via een paar huiveringwekkende bochten, waarin ik niet naar links of rechts durf te kijken. Dan ineens ben ik er, bij het huis dat Wiseman heeft gebouwd.

Er is een aquarel van omstreeks 1830: *De villa van Mr. Wiseman*. De bovenste helft van het schilderij wordt in beslag genomen door een hoge rotswand met hier en daar wat struiken, in zachte groene en bruine tinten, een landschap van waterverf en spatten. Op de onderste helft staat een formele tuin met gazons en een hoge, witte muur. Midden in dat vage landschap is een huis van twee verdiepingen gekwakt, dat er met een liniaal in getekend lijkt: streng, symmetrisch, drijvend voor de wazige achtergrond.

Op het schilderij maakt het huis een open, toegankelijke indruk en springt het met zijn geometrische vormen uit het kale, gedempte landschap naar voren.

Als je goed kijkt, kun je een man in een blauwe jas onderscheiden, die op de veranda zit en het zich gemakkelijk maakt. Wijdbeens zit hij daar, Mr. Wiseman, nieuwbakken gentleman. Een andere man, minder duidelijk geschilderd, staat gedienstig naast hem. *U hebt gebeld, Mr. Wiseman?* En in de tuin staat een vrouw met een lange blauwe rok. Er valt een diepzwarte schaduw voor haar op het pad. Jane Wiseman.

De villa van Mr. Wiseman is nog steeds het hoogste gebouw in het stadje en is direct tegen de voet van de berg gebouwd. De paar andere gebouwen liggen in een groepje aan de rivier. Er staat een school, maar de kinderen zitten waarschijnlijk zwijgend boven hun boeken gebogen. Een klein winkelcentrum met het Bush

Bites Café en Wiseman's Mini-mart, nieuw maar nu al verlopen. Het postkantoor bevindt zich in de voorkamer van een oud huis met een veranda die in diepe schaduwen gehuld is. Iets verderop ligt een dor stuk grijzig gras met een betonnen cricket-pitch en een paar schommels. Daar lag ooit de geometrische tuin van Mr. Wiseman. Achter een strook met donkere casuarina's en riet ligt de rivier: troebel, ondoorzichtig, donker fonkelend.

En aan de overkant de kolossale rotsmuur. Hij rijst recht uit het water omhoog: een kilometerslange muur die de kleine plaats omzoomt. Zoals een mes door een taart snijdt en de laagjes blootlegt, heeft de rivier de massieve rotsblokken en platte rotsplaten – de fundamenten van het land – doormidden gesneden. Op sommige plaatsen heeft de wind de muisgrijze huid van de zandsteen doorkliefd zodat het zachte, gouden vlees daaronder is blootgelegd en is uitgestulpt of juist naar binnen is gekrompen, waardoor holtes en grotten zijn ontstaan. Vreemdgevormde bomen lijken uit de kale rotsen te groeien. Hun stammen vormen donkere krabbels tegen de rotsmuur.

Ik merk dat ik die verwarrende mengeling van rotsen, schaduwen, grotten, duisternis en licht afspeur en er wijs uit probeer te worden. Het is alsof je naar de zee kijkt: het licht valt steeds weer anders op de pieken en uitstulpingen, en een patroon van gouden en grijze kleuren dat je net nog zag, is het volgende moment alweer verdwenen. Het is te groot, te vormeloos, te overweldigend.

Het is doodstil in het dorpje, alsof de massieve rotsmuur die erbovenuit torent alles het zwijgen oplegt. Maar om de een of andere reden is het geen vredige stilte. Er hangt hier iets waakzaams, iets onbestendigs.

Of zou dat aan mij liggen?

De villa van Mr. Wiseman, op de aquarel nog zo naakt, is nu bedekt, weggestopt. Aan de achterkant rukt het dichte oerwoud op. Enorme vijgenbomen verstikken het gebouw aan de straatkant, en de bijgebouwen aan de achterkant verstoren het ontwerp van het oorspronkelijke gebouw, dat twee kamers beneden en twee boven had.

Maar aan de voorkant is de villa van Mr. Wiseman nog exact hetzelfde: de veranda's die uitzien op de rivier, het mooie waaiervenster boven de voordeur en daar de halfronde stenen treden waarop Jane Wiseman misschien is gestorven.

De zon brandt op mijn schouders. Hij schijnt zó fel dat het bijna donker lijkt. De treden, gemaakt van dezelfde zandsteen als het klif, liggen hier al tweehonderd jaar in de brandende zon. Doodgewone steen, doodgewone treden. Ik vind het ineens raar om hier te zijn, met dat idiote idee over spoken.

De stilte zwelt aan, ondoordringbaar en klam. Ik voel me bekeken en erg zichtbaar als ik de traptreden beklim en het hotel binnen loop.

Binnen ligt overal rood-oranje vloerbedekking. Uit nostalgische overwegingen zijn er verscheidene aftandse voorwerpen aan de stenen muren opgehangen: een verroeste konijnenval, een stoffig paardentuig, gekruiste hooivorken.

Als ik binnenkom, zit de kroegbaas aan de bar de administratie te doen. Hier wordt zo te zien voornamelijk gedronken; boekenwurmen van onbestemde leeftijd behoren niet tot de gebruikelijke clientèle. Hij is verbaasd als ik naar een hotelkamer informeer.

Het kost tweeënzeventig dollar, waarschuwt hij me.

Dat is goed.

Er zijn geen kamers met bad.

Dat hindert niet.

Geen creditcard, u kunt alleen contant betalen.

Maar deze boekenwurm laat zich niet afschrikken.

Dat geeft ook niet, zeg ik opgewekt. Ik kom voor het spook.

Hij kijkt eindelijk op.

Van Mrs. Wiseman? Dan moet u kamer negen hebben.

Ik begin uit te leggen dat zij mijn betoudovergrootmoeder is. Is het echt waar dat mensen haar geestverschijning hebben gezien?

Ik kan zien dat hij zijn best doet. Ik ben tenslotte bereid om tweeënzeventig dollar te betalen voor een kamer zonder bad.

Nou, niet zozeer verschenen, maar een oude dame die op die kamer sliep, kreeg daar een heel raar gevoel. Ze kwam de volgende ochtend krijtwit naar beneden.

Wat had ze dan gezien?

Maar ik ben te gretig. Ik schrik hem af.

O, ze had alleen wat gekraak gehoord, zulke dingen. Geklop.

Hij haalt zijn schouders op, maar dan schiet hem ineens nog iets te binnen.

O ja, en een keer begon de piano te spelen, helemaal vanzelf.

Aha, denk ik, maar ik hap weer te gretig toe.

Wat werd er dan gespeeld?

Ik zie dat hij het gevoel heeft dat hij wordt ondervraagd.

Niks, zomaar wat lawaai.

Hij zit inmiddels met de sleutels te rammelen en gaat me voor naar boven.

Daar is de badkamer, met toilet. En dit is de kamer.

Tot mijn teleurstelling zijn de kamers aan de voorkant van het hotel niet toegankelijk – net zomin als het balkon vanwaaraf Jane die doodsmak maakte. De hoteleigenaar laat zich op geen enkele wijze door mij vermurwen om ze toch te laten zien.

De kamer waar Mrs. Wiseman met haar klopsignalen en kraakgeluiden een oude dame de stuipen op het lijf heeft gejaagd, ligt aan de straatkant, in de latere uitbouw. De kamer is klein en donker, en de vijgenboom voor het raam belemmert het uitzicht. Alles is er roze, behalve het schreeuwerige rood-oranje tapijt. Roze muren, iets donkerder roze houtwerk. Een lits-jumeaux met beddengoed van roze chenille. Een roze metalen sierplafond met een hartpatroon erin.

Ik had eigenlijk wel iets grootsers verwacht. Sfeervoller. En misschien wat minder roze.

Na een t-bonesteak in de bistro beneden, waar geen greintje historische sfeer boven het geflikker en het lawaai van de gokmachines uit weet te komen, ga ik rechtop in mijn hotelbed zitten, klaar om aantekeningen te maken. Ik kijk eens om me heen en probeer ontvankelijk te zijn, maar ik zie alleen het koude, grijze oog van de tv. Buiten jankt een hond, vastgebonden aan een paal van de veranda terwijl zijn baasje beneden in de bar zit te drinken. Mijn kinderen zeiden voor de grap dat ik een ouijabord mee moest nemen. Ik had in elk geval wel wat kaarsen willen hebben.

Jane Wiseman kreeg zes kinderen, ongeveer eentje per twee jaar, schrijf ik in mijn notitieboekje. Ik probeer me te concentreren en haar aan te moedigen om te verschijnen. Ze heeft haar kinderen waarschijnlijk allemaal een jaar borstvoeding gegeven en is daarna meteen opnieuw zwanger geworden. Ze moet in een permanente hormoonroes hebben verkeerd.

Solomon, daarentegen, schijnt een enorm energieke, dynamische en ondernemende man te zijn geweest, een man met genoeg wilskracht om van zijn rampzalige leven een geweldig succes te maken.

Het is niet moeilijk om je er iets bij voor te stellen: een ruzie op het balkon, een boze duw. En recht daaronder die stenen treden.

Als ik eerlijk ben, weet ik niet wat ik graag van Jane Wiseman zou willen horen als ze hier aan mijn voeteneinde zou verschijnen om me iets te dicteren voor in mijn wachtende notitieboekje. Als ik heel eerlijk ben, moet ik toegeven dat zij niet de reden is dat ik hier ben. Er is iets anders aan dat hele Wiseman-verhaal wat mij dwarszit. Ik geef het niet gemakkelijk toe, maar de geest van Mrs. Wiseman is eigenlijk alleen maar een voorwendsel.

Misschien weet ze dat wel, want zelfs als ik het licht heb uitgedaan laat ze zich niet zien. Vanuit de bar klinkt geroezemoes, met zo nu en dan een lachsalvo. Misschien wel ten koste van dat intellectuele mens van kamer negen.

Het bed is comfortabel, ook al zakt het in het midden wat door. Het is ochtend voor ik het weet.

Jane mag dan nergens te bekennen zijn, haar huis staat er nog wel, dus de volgende ochtend snuffel ik wat rond en bekijk de muren en het houtwerk, in de hoop tijdens mijn verblijf toch nog iets te ontdekken, al is het maar een of ander detail over het gebouw. Omdat er later een aanbouw aan het huis is vastgeplakt, is de achtermuur van het oorspronkelijke huis nu een van de muren van de hal. De deur ligt diep verzonken in die muur, die minstens een halve meter dik is en is gebouwd van grote blokken boterzachte steen waarin je de afdruk van het pikhouweel nog kunt zien. De deur, laag en net zo robuust als de muur, hangt in een deurpost van dikke balken, zo stevig als spoorbielzen. Ik kijk naar de muren, op zoek naar dichtgemetselde ramen, maar er hebben blijkbaar geen ramen aan de achterkant of de zijkanten van het huis gezeten.

Ik probeer me het oorspronkelijke huis voor te stellen: een stevig, stenen gebouw met alleen aan de voorkant ramen en aan de achterkant deze tunnelachtige deur. Terwijl ik mijn vingers over het oude hout laat glijden, weet ik ineens waar het me aan doet denken: aan de deuren van kastelen die ik in Europa heb gezien. Deuren die niet gemaakt zijn om gemakkelijk toegang te verlenen, maar om mensen buiten te houden.

Wat interessant, denk ik, maar dan, voordat mijn gedachten naar een ander onderwerp kunnen afdwalen, komt de rest van deze interessante gedachte in een flits in mijn hoofd op. Uit wat ik net zelf heb gezien en uit het waterverfschilderij, komt het volgende beeld naar voren: een huis zonder ramen, behalve aan de voorkant. De voorkant kijkt uit over een formele tuin met beplanting tot kniehoogte. Daaromheen, aan alle kanten, een hoge, stenen muur. Achter het huis zijn alle struiken en bomen op de berg gekapt. En dan deze deur, een deur die zegt: *Je mag hier niet naar binnen.*

Dit is niet zomaar een chic landhuis. Het is een fort.

Waarom zou Wiseman een fort hebben gebouwd? Ik weet het antwoord, maar vind het moeilijk om het onder ogen te zien.

In mijn jeugd in Australië, toen je nog een geldige reden nodig had om op zondag een borrel te kunnen krijgen, werden verhalen verteld over de Aboriginals, die werden getypeerd als 'primitieve nomaden'. Ze deden niet aan landbouw, aan huizenbouw, of aan eigendom van wat dan ook. Alleen aan de hele dag maar een beetje rondwandelen, tot ze iets eetbaars tegenkwamen.

Het land was niet van hen, dus ze hadden geen weerstand geboden aan de kolonisten. Er waren geen verdragen gesloten, zelfs niet in ruil voor een handvol kralen.

En toen waren ze zo behulpzaam geweest om min of meer uit te sterven. Mazelen, verkoudheid, dat soort dingen. Degenen die niet door een verkoudheid werden geveld, werden 'verspreid'. Dat woord komt in veel archieven voor: 'De inlanders werden op de gebruikelijke wijze verspreid.'

Het was een geruststellend verhaal. Alleen werd op een bepaald moment overduidelijk dat het niet klopte. De Aboriginals zullen nomaden geweest zijn, maar ze cultiveerden het land wel, net zoals een boer met een tractor dat doet. Alleen gebruikten zij geen hekken en ploegen, maar vuur. Dat rondwandelen gebeurde niet zomaar willekeurig; het was een nauwkeurig systeem van *resource management*. En dan het woord 'verspreid'. Het is inmiddels wel duidelijk dat 'verspreid' meestal 'doodgeschoten' betekende.

De familiegeschiedenis van Wiseman zweeg er verder over, al werd gesuggereerd dat de Aboriginals uit dit gebied bij de rivier waren verdwenen toen Wiseman hier arriveerde.

Nu ik hier sta, in de stank van frituurvet en bacon, dringt het tot me door dat ik me niet langer achter dat stilzwijgen kan verschuilen en geen genoegen meer kan nemen met dat verhaal. De stilte spreekt, heel duidelijk, rechtstreeks uit de stenen van dit huis.

Dit fort kan alleen maar bedoeld zijn om de aanvallen van de aboriginals af te weren. Dat betekent dus dat ze hier geweest zijn. Dat ze hebben aangevallen. En dat ze toen waarschijnlijk zijn 'verspreid'. Door Wiseman.

Plotseling krijg ik een claustrofobisch gevoel in dit donkere gebouw onder de bomen, in deze kleine, zwijgende nederzetting. Ik moet hier weg, de rivier over, de bush in.

Ik rijd naar de veerpont, een boot met een stompe neus die

vierentwintig uur per dag heen en weer vaart. De meeste auto's gaan op dit tijdstip, het eind van de ochtend, de andere kant op: in de richting van de stad. Als ik aan boord ben, stap ik uit, leun met mijn rug tegen de reling en kijk omhoog naar de rotswand. Ik word er duizelig van, zoals de rotsen uittorenen boven de kleine pont met die paar auto's erop, en ik moet wegkijken, naar de modderige groenbruine Hawkesbury daar beneden. Hier, midden op de rivier, krijg ik pas een idee van de enorme watermassa en van de immense weidsheid van de omgeving. Wat zal dat een verpletterende indruk hebben gemaakt op de mensen uit de smalle steegjes en overvolle huizen van Londen.

Aan de overkant is er tussen het water en de rotswand net genoeg ruimte voor de weg. Op een bord staat dat je niet moet stoppen in verband met vallende stenen, dus ik houd maar niet stil om het uitzicht over het water te bewonderen. Een paar kilometer stroomafwaarts is er een opening in de rotswand en leidt een B-weggetje door de bush de helling op. Het kampeerterrein bij Ten Mile Hollow is via deze weg een halfuur rijden.

Als ik het weggetje oprijd, krijg ik heel even een angstig gevoel. Ik rijd een van de meest afgelegen streken van Australië in, een gebied met diepe ravijnen, gemeen scherpe rotspunten, een droge steenwoestijn zonder water, op het riviertje bij de kampeerplaats na.

Ik controleer of ik echt de waterfles bij me heb en of hij nog vol zit. Ik had eigenlijk de bandenspanning van mijn reservewiel moeten controleren. Aan mijn mobieltje heb ik niets: door de hoge bergruggen is er hier geen bereik. Ik ben op mezelf aangewezen, niet in dezelfde mate als de Wisemans, maar toch meer dan ik gewend ben.

Het eerste stuk van de rit is bijna verticaal. De weg gaat alsmaar hoger en hoger en voert langs een diepe, donkere kloof. De eentonige roep van de klokvogel lijkt me te achtervolgen terwijl mijn kleine auto in de tweede versnelling omhoogkruipt. Ik zie geen andere auto's, alleen maar bomen, rotsen en lucht. De auto plakt als een tor aan het zand. Ik voel de zwaartekracht trekken en vraag me af hoe lang het zal duren voordat ik word gevonden als de auto de grip op de weg zou verliezen en van de helling naar beneden zou glijden. In de vochtige bergkloof is de begroeiing dicht en weelderig, een ondoordringbaar regenwoud, met klimplanten die om de bomen kronkelen. Aan weerszijden van de weg rukken struiken met glanzende bladeren op. Door het raampje komt de volle, vochtige geur van het oerwoud naar binnen.

En dan, opeens, sta ik op de top. De weg is hier weer horizontaal en het landschap wordt open. Hier, ver boven de koele, vochtige kloof, is de begroeiing dunner, droger en scherper. De klokvogels zijn achtergebleven, en de lucht ruikt droog, bitter, medicinaal bijna.

Vanaf dit hoge punt kan ik in elke richting kilometers ver kijken, en ik zie niets anders dan bergruggen en kloven, bergruggen en kloven tot in de verte, met overal wollig woud dat steeds blauwer wordt.

Ik houd stil en stap uit om alles volledig op te kunnen nemen. De wachtende stilte slokt het motorgeluid op. Een kraai zit me ergens te bespotten: *car, caaar, caaaar*. De lucht is leeg lichtblauw.

Wildernis. Dit is écht de wildernis.

Vroeger dachten gevangenen dat ze konden ontsnappen en in de bush konden overleven. Soms hadden ze gelijk. Zo nu en dan vinden *bushwalkers* in deze ongebaande streken een verroeste voetboei, die nog steeds stevig dichtgeklonken is. Van degene die daar wanhopig mee heeft rondgestrompeld, is niets overgebleven.

Een eindje bij de auto vandaan zie ik een uitstekende rots die een nog veel mooier uitzicht belooft. Ik moet mezelf dwingen om even van de weg te gaan. Het is maar honderd meter, zeg ik tegen mezelf. Je hoeft toch nergens bang voor te zijn?

Het terrein is moeilijk begaanbaar: bij elke stap moet ik een struik opzij duwen, en ik moet steeds om omgevallen bomen heen lopen, of om dichte groepjes opschietende jonge boompjes en pollen dor, droog gras die me uitstekende schuilplaatsen lijken voor slangen. Soms is er een opening tussen de obstakels die aan een pad doet denken en me in de verleiding brengt het een eindje te volgen, maar het eindigt toch altijd weer in een dichte struik die te ondoordringbaar en te prikkelig is om doorheen te lopen.

Ik blijf staan. Ik hijg, ook al heb ik nog maar een klein eindje gelopen; het komt niet zozeer door de inspanning als wel door een soort beklemming op mijn borst die je angst zou kunnen noemen. Om me heen is de bush vol geluiden: op de achtergrond een diffuus gezoem en getik van miljoenen insecten; dichterbij het individuele geklik en getjilp; de vogels die *iep, iep, iep* doen.

Barstend van het leven, maar ook volkomen leeg. Ik kijk achterom: de struiken hebben zich achter me gesloten, soepel, stil, als water. Waar is de weg ook alweer? Overal om me heen trillen en flakkeren de schaduwen, dansen licht en schaduw tussen boomstammen en struiken en op de grote bruine rotspartijen.

Heel even laat ik het gevoel van 'verdwaald-zijn' over me heen komen. Wat zou het eenvoudig zijn om gewoon maar door te strompelen, door het eindeloze, vormeloze golvende landschap waarin alles hetzelfde lijkt, waarin het land onwaarschijnlijk snel draait en kronkelt en verandert.

En niemand die de boekenwurm, die zo graag een spook wilde zien, kwam redden. Er is hier niemand in dit eindeloze waterloze berglandschap, geen mens. De weg, dat smalle, kronkelige, zanderige spoor, is het enige dat door mensenhanden is gemaakt, en hij is zó ijl tussen de onverschillige natuur, zó onzichtbaar, dat je hem pas ziet als je er na de laatste struik op stuit en er ineens bovenop staat.

Ik kijk naar mijn schoenen, iets menselijks, iets eigens. Ik herinner mezelf aan de begrippen 'achter' en 'voor'. De weg is achter me. Als ik me omdraai, is daar de weg. Laat ik dat woord 'verdwaald' maar uit mijn hoofd zetten.

Als ik weer op het pad sta, merk ik dat ik mijn adem heb ingehouden. Stom, stom. Twee stappen in de bush en ik raak al in paniek. Ik houd mezelf voor dat mijn paniek geen morele tekortkoming is, maar een nuttig onderzoeksobject. Wiseman had dat pad niet. Hij had geen achter en voor. Alleen een maagdelijk continent dat zich voor hem uitstrekte, vol met gezoem en getik, en die vogels die het zo ontzettend verlaten doen klinken.

Ik rijd verder door het droge landschap. De weg loopt langs de afgrond, en op sommige plaatsen lijkt de grond aan beide kanten van de auto te verdwijnen. Als een ansichtkaart, zo mooi is het hier; elk prachtig uitzicht op blauwe bergtoppen of diepe valleien beneemt me van bewondering de adem. Maar ik merk dat ik steeds langzamer ga rijden. Voor een deel uit voorzichtigheid, maar ook door een ander gevoel: tegenzin, twijfel.

Ten Mile Hollow is niet moeilijk herkenbaar. De weg gaat naar beneden en loopt naar een krater in het plateau, een soort ingezakt midden van een mislukte taart. Na kilometers droge bergen is het kampeerterrein een oase: een grote, open plek met zacht groen gras, hier en daar een boom met daartussen het zonlicht. Ik kan aan de zwarte boomstammen zien dat er niet zo lang geleden brand is geweest, waarschijnlijk bewust aangestoken door de mensen van het National Park om het struikgewas op te ruimen en de bodem vruchtbaarder te maken. Het zonlicht valt op het water van het beekje dat over een platte rotsbodem stroomt. Overal in de omtrek zie ik bergruggen die als een borstwering oprijzen, maar hier is het lieflijk en zacht.

Rond deze tijd van het jaar, en op deze dag van de week, is het bijna zeker dat ik hier het rijk alleen heb. Ik hoor geen geluiden, behalve zo nu en dan het knallende geluid van een *whipbird* of het gekrijs van de eksters. Ik kan me goed voorstellen dat er hier in tweehonderd jaar niets is veranderd, zelfs in tweeduizend jaar niet. Alleen maar die beek en die bomen, en de zachte bries in de bladeren boven mijn hoofd. Ik voel me als de eerste mens in de eerste, perfecte tuin.

Ik doe mijn schoenen uit om een eindje door de beek te lopen, over de grote platte stukken rots. Het water voelt koud en schoon aan op mijn huid. Het valt met een voortdurend zacht geklater van de ene op de andere rotsplaat. De steen zelf voelt zacht onder mijn blote voeten: afgesleten, glad, zachtbruin.

Ik voel een soort richels onder mijn voetzolen en ik kijk naar beneden om te zien hoe die door het water en de tijd zijn gevormd. Het zijn ondiepe groeven, zo lang als een hand. Ze hebben wel dezelfde kleur gekregen als de rest van de rots, maar hun vorm is afwijkend.

Als ik op mijn hurken ga zitten en ze van opzij bekijk, zie ik ze veel duidelijker. Het zijn tientallen groeven, die overal op de platte stenen te zien zijn. Nee, geen tientallen, maar honderden, op elk plat oppervlak.

Ik krijg een schok – alsof iemand me een harde zet in mijn rug geeft – als het tot me doordringt wat dit zijn. Deze sporen zijn helemaal niet gemaakt door de natuur, maar door mensen. Ik heb er wel foto's van gezien in boeken. Het zijn sporen die zijn ontstaan doordat de aboriginals hier hun stenen bijlen hebben aangescherpt.

Deze rotsen bij de beek zijn één grote wetsteen.

In het huis van Wiseman, waar een herenvilla plotseling voor mijn ogen werd getransformeerd tot een fort, voelde ik dezelfde duizeligheid die me nu ook overvalt. Wildernis wordt voor mijn ogen getransformeerd tot 'huiskamer'. Op deze plek, waar ik nu sta, hebben generaties mensen hun bijlen geslepen, gegeten, geslapen, de liefde bedreven en kinderen gekregen.

Dat gevoel dat ik hier de eerste mens was, kan ik dus wel loslaten.

Net als het laatste greintje romantiek rond Wiseman. Toen hij hier kwam, was er hier helemaal geen wildernis. Hij heeft met geen mogelijkheid kunnen doen alsof hij in een verlaten land kwam. Langs elke beek moeten duizenden verse slijpsporen te zien geweest zijn, met een felgouden kleur die afstak tegen de donkere steen.

Overal moeten sporen van bewoning zijn geweest. Smalle zandpaadjes die tussen de bomen door liepen. Kale plekken waar de aboriginals kano's of schalen uit de bast hadden gesneden. Zulke plekken had ik ook wel eens op een foto gezien. Elke overstekende rotspunt moet zwartgeblakerd zijn geweest door de kampvuren die daaronder werden gestookt en overal moeten botten en lege schelpen hebben gelegen; de restanten van maaltijden.

Wiseman moet hebben geweten dat de hectares die de gouverneur hem zo vrolijk had toebedeeld al in gebruik waren, bewoond werden zoals zijn eigen huis.

Geen wonder dat hij een fort moest bouwen.

Een kampvuur 's avonds in de bush is heel geruststellend. Die kleine, warme gouden cirkel is net een kamertje, een veilig huisje van licht, uitgehakt in de duisternis die je overal omgeeft.

Maar het verblindt je ook. Je moet kiezen: je veilig voelen en blind zijn, of zien en weten hoe klein je bent.

Ik heb een kampvuurtje gemaakt, eten opgewarmd en extra hout op het vuur gedaan om de duisternis te verdringen. Nu laat ik de vlammen doven en de houtskool donker worden. Tijd om te zien wat zich daarbuiten bevindt.

De bush is 's nachts net een enorme, ademende long. Op de bergrug die om deze kom heen ligt, waait het, maar hier beneden komt alleen zo nu en dan een zuchtje wind. Uit de verte klinkt die wind als het ruisen van de branding. Het geluid zwelt aan tot een imposant gebulder dat even blijft hangen en dan weer wegsterft in het niets.

In de stilte tussen die twee ademhalingen klinken de nachtelijke geluiden. Getik en gekraak, geritsel en gescharrel, een zware bons. Zachte geluidjes vlakbij: *pwik, pwik, pwik.* Een zacht maar doordringend getjilp. In de buurt van de beek een hol geplop en geponk. Vlak bij mij is de wind zachter en persoonlijker, als het snelle geritsel van een paar bladeren. Het zoeven van een tak. Een koele windvlaag die als tocht langs mijn gezicht strijkt alsof er ergens een deur openstaat.

Nu het vuur bijna gedoofd is, worden de bomen groter en komen ze dichterbij. Ze buigen zich over me heen, die grote, zachte, ruige wezens, en kijken. Tussen hen in zijn de sterren zo talrijk en klein als rijstkorrels.

Ik ben rusteloos en alert. Ik heb het gevoel dat ik nooit in mijn slaapzak kan kruipen om te gaan slapen. Het is alsof ik ergens op wacht. Ik luister naar die immense ademhaling van de wind, naar het minuscule, intense leven van de nachtwezentjes, en wacht op iets anders.

Niet dat ik bang ben, dat is het niet echt. Er is hier niets kwaadaardigs, niets vijandigs. Geen geesten die komen spoken.

Maar er is ook niet níéts. Dit is een lege plek, maar leeg als een kamer waaruit de bewoners even weg zijn, een leegte achterlatend die nog de vorm van hun aanwezigheid heeft. Wat ik voel is niet de leegte van deze plek, maar de vroegere volheid ervan.

Het is niet zozeer angst, eerder een soort schaamte. Ik besef dat ik op mijn manier net zo hebzuchtig ben als Wiseman. Hij wilde cederhout en maïs. Ik was, bot gezegd, op zoek naar spanning en sensatie. Maar sensatie zal ik hier niet vinden: deze plek zal steeds zichzelf blijven: zuchtend, ademend, met die sporen van menselijk leven in zich.

Ik kwam hiernaartoe omdat ik op zoek was naar geesten, en die heb ik in zekere zin ook gevonden. Geen spook dat 'boe' zegt of 'Greensleeves' speelt op de piano. De echte geesten, die de moeite van het vinden waard zijn, zijn de sporen in het landschap, de stenen van het huis, de groeven op de bedding van de beek. Ze vormen een landschapsarchief, ze houden bij wat hier is gebeurd, zodat zelfs iemand die op zoek is naar iets heel anders, het verhaal kan begrijpen dat ze te vertellen hebben.

De wind zwelt weer aan in de bomen op de bergrug. Het geluid wordt steeds harder, elk blaadje draagt bij aan het grote koor van bewegende lucht. Een paar ogenblikken is het hele landschap ondergedompeld in een geweldig gebrul dat rond de bergtoppen raast. Dan wordt het langzaam zachter, boom voor boom, het geraas sterft weg en laat een lange, ademende stilte vallen die wacht en luistert.

Ademnood

MICHAEL COLLINS

De Ierse auteur Michael Collins is behalve schrijver ook ultra-atleet van wereldklasse. Hij heeft records van verscheidene extreme marathons op zijn naam staan; hij behoorde tot de winnaars van de Antarctische Marathon, won de Honderd Mijl in de Himalaya en de Everest Challenge Marathon in een recordtijd. In de maanden na de race schreef hij *The Keepers of Truth*, dat in 2000 op de shortlist stond voor de Booker Prize. Daarna schreef hij *De wederopstandelingen* en *Dolende zielen*.

Vanuit het kleine dorpje Manaybhanjang, hoog boven de koloniale theeplantages van West-Bengalen, kan ik heel ver kijken. Tibetaanse gebedsvlaggen wapperen tegen de blauwe lucht. Het is een sereen beeld uit vroegere eeuwen, een prachtige achtergrond voor het begin van het nieuwe millennium, een tastbaar referentiepunt aan het begin van de vijfdaagse honderdmijls in de Himalaya, de spirituele en fysieke pelgrimstocht waarmee ik de twintigste eeuw ga afsluiten. Het onchristelijke hoogteprofiel voor de eerste etappe van vierentwintig mijl is bijna twee kilometer verticaal de lucht in: een stijging vanaf 1800 meter hoogte naar meer dan 3600 meter, via een diep doorgroefd, met keien bestraat pad langs de grens van India en het meest oostelijke puntje van Nepal.

De Mount Everest Challenge Marathon is een van de afmattendste ultra-marathons, een tocht die snel naar de gevarenzone van het zuurstoftekort voert, waar niet-geacclimatiseerde maar ook geacclimatiseerde renners kunnen bezwijken aan het laatste stadium van hoogteziekte, het levensbedreigende hersenoedeem. Bijna alle renners, op een paar na, zijn slechts enkele dagen voor het begin van de race vanaf zeeniveau hierheen gekomen, hoewel een langzame, geleidelijke stijging gespreid over enkele weken de beste methode is om hoogteziekte te voorkomen. Als de ochtendzon de mistflarden wegbrandt uit de ijle berglucht, beginnen we ons al licht in het hoofd te voelen en krijgen we een idee van wat ons de komende honderd mijl te wachten staat.

Onder normale omstandigheden, dat wil zeggen in de meeste landen, zou deze wedstrijd gezien de hoogte verboden zijn, maar hier, in het arme India, zijn wij een welkome bron van inkomsten en mogen we onze existentiële crisis komen uitleven. We hebben verklaringen getekend waarmee we de organisatoren vrijwaren van elke verantwoordelijkheid als ons iets overkomt. In ruil daarvoor krijgen we aan het eind van de onmenselijke klim van vandaag een indrukwekkend uitzicht vanaf een bergrug, de enige plek ter wereld waar je tegelijk de Everest, de Lhotse, de Makalu en de Kanchenjunga kunt zien, vier van de vijf hoogste bergen ter wereld.

Ik heb me via internet aangemeld voor deze hardloopwedstrijd, vanuit de raamloze ingewanden van mijn kantoor bij Microsoft, waar ik opgesloten zit in een virtuele programmeerwereld die totaal anders is dan mijn vroegere leven op een Ierse boerderij. In mijn zevenendertigjarige leven heb ik moeten overschakelen van 's ochtends koeien melken op een regenachtig eiland in de Atlantische Oceaan, naar opgesloten zitten in deze hightech bunker. In de periode dat deze wedstrijd werd gehouden, aan het einde van het vorige millennium, was ik op zoek naar symboliek, een queeste, zingeving. De Mount Everest, de hoogste plek ter wereld, leek me een geschikt uitkijkpunt om te zien waar ik vandaan kwam en waarnaar ik op weg was.

In 1999 maakte ik deel uit van het voetvolk van de nieuwe digitale economie; ik maakte werkweken van meer dan zestig uur per week bij Microsoft. Het was fantastisch om voor de rijkste man ter wereld te mogen werken in het Mekka van de software. Dat kreeg ik althans te horen. Wij werkten, zoals aan het eind van de jaren 1990 werd gezegd, aan een nieuwe interface van de toekomst. We bouwden een virtuele wereld en maakten de synergie van mens en machine mogelijk. Het was de spannende tijd van de internetrevolutie, van de dot.com-explosie. Er deden allerlei verhalen de ronde over startende bedrijven die plotseling honderden miljoenen waard waren, over aandelen die van een paar cent naar meer dan honderd dollar per aandeel stegen. Mensen werden letterlijk van het ene op het andere moment miljonair door aandelenemissies en het splitsen van aandelen.

Maar voor ons, de werknemers in de programmeermachine van Microsoft, was de buitenwereld non-existent geworden; onze aanwezigheid in het bedrijf was niet-onderhandelbaar, wat heel bizar was omdat juist wij telewerken en de virtuele werkplek aan de man probeerden te brengen. Er ontwikkelde zich daarbinnen iets heel verraderlijks: een programmeurstype dat de hele dag achter de computer zat te programmeren of spelletjes zat te doen en voor wie het gehele universum niet groter was dan een zeventien-inchmonitor. Ik was getuige van het ontstaan van de eerste subcultuur die een virtuele wereld creëerde en daaraan naar hartelust meedeed: online chatrooms, online catalogi, realtime netwerkspelletjes zoals Dungeons and Dragons, online porno. We hadden screensavers die de draaiing van de aarde volgden: als je je geografische locatie opgaf, kon je een virtuele zonsopkomst en zonsondergang zien, een schaduw die over de aardbol gleed. Wij deden niet aan bioritme, aan een innerlijk, aangeboren proces dat het slaapritme bepaalt. Het leek alsof we in een ruimteschip zaten, alsof we ons langzaam moesten aanpassen aan een andere werkomgeving, aan wat ze bij Microsoft eufemistisch 'campus' noemden, met die associatie van eeuwige jeugd en kracht.

Als reactie op deze nieuwe wereld, waarin de computer zo centraal stond, ging ik hardlopen, op een loopband, tussen twee en drie uur 's nachts als het stil was. Ik beulde me af in de sportzaal, rende kilometers achter elkaar, zette de loopband op de zwaarste stand omdat ik de behoefte voelde om te zweten, te hijgen, te voelen dat ik een lichaam had; een zwak, dierlijk protest tegen de rijen computers die de hele dag op kantoor stonden te zoemen. Soms verliet ik het moederschip en ging ik hardlopen in de bergen rond Microsoft, maar daar werd ik geconfronteerd met een surrealistische werkelijkheid, waarin ik of door beren of door poema's werd belaagd. Dan voelde ik me in de serene rust op de loopband toch beter thuis. Het verhoogde wel mijn algehele gevoel van angst. Nu was ik een slaaf van de loopband. Ik ging mezelf afvragen of dat mijn postmoderne bezigheid zou zijn op de vooravond van het nieuwe millennium: hardlopen op een band, net als die hond uit de futuristische tekenfilmserie *De Jetsons*. Ik besloot om iets authentiekers te kiezen, iets wat beter paste bij mijn eigen verleden, een natuurlijker bezigheid in de natuur.

Er heerst een verstikkende spanning en angst in de smalle straat in Manaybhanjang. Sommige mensen schreeuwen: 'Nou zeg, begin eens een keer!' We zijn een stelletje meedogenloze concurrenten, en na een formele ceremonie, waarbij maar liefst zes politici voornamelijk elkaar bedanken, begint dan eindelijk de hardloopwedstrijd in de uitlopers van de Himalaya. Na drie kilometer passeren we een klooster, waar Tibetaanse monniken in hun granaatrode en saffraangele gewaden naar onze boetedoening kijken, en ons zegenen als we ons in de door hun zo vereerde bergen wagen; ze zalven zelfs het stuur van de landrovers voordat die met een slakkengangetje de hemel in rijden. Wij zijn een spektakel in hun wereld, maar zij lijken ons moderne dilemma wel te begrijpen; bij ons, westerlingen, met ons geld en onze levensstijl, slaat soms ook de twijfel toe. Wij hebben ook vragen over transcendentie, en met de geur van wierook in mijn neus voel ik me in elk geval gedurende die paar minuten een echte pelgrim.

Na een kilometer of twaalf klimmen verandert dat. Het spirituele gevoel maakt plaats voor angst. Er loopt een door de wol geverfde concurrent met me mee, en het psychologische spel begint. Hij zegt tegen me dat ik de steilste stukken in een rustig tempo moet lopen en op de vlakke gedeelten moet gaan rennen. Ik sta daar nogal sceptisch tegenover, maar hij herinnert me eraan dat we vijf dagen moeten hardlopen en ruim honderdzestig kilometer moeten afleggen. Dat de roekelozen zullen verliezen van de gestage lopers. Zulk advies wil je liever niet opvolgen, zeker niet als het van een tegenstander komt, maar omdat we nu wel erg steil stijgen, geef ik toch toe en we lopen honderd meter omhoog. Dan, bij een plotselinge afdaling, gaat mijn tegenstander ervandoor; zijn kromme benen zijn heel sterk en hij krijgt het voor elkaar om de helling af te stormen. Binnen dertig seconden heeft hij een voorsprong van vijftig meter.

Dat is het moment om mijn doel bij te stellen en roekeloos te worden. Het wordt een zaak van leven of dood voor mij. Ik heb het idee dat hij niet sterk genoeg is om elk stijgend stuk te rennen, dus bij de volgende klim werp ik hem de handschoen toe: hou me maar bij als je kunt. Het is een zeer primitieve emotie die ik voel: geen haat, maar overlevingsdrang. Ik kijk niet om, maar hou hem vanuit mijn ooghoeken in de peiling. Omkijken zou een teken van zwakte zijn. Nu begint de metronoom van mijn benen, mijn ogen blijven gericht op het ongelijke pad. De schoonheid van de berg gaat aan me voorbij. In een haarspeldbocht krijg ik een voorsprong, wat een gevoel van euforie veroorzaakt. Ik houd mezelf steeds voor dat ik rustig moet blijven. Ik ben nog maar op een derde van de afstand die we vandaag moeten afleggen. Ik weet maar al te goed hoe gruwelijk 'de man met de hamer' is die je kunt tegenkomen: de plotselinge fysieke en emotionele instorting, die vaak juist na een euforie kan optreden.

Mijn hartslagmeter geeft 187 slagen per minuut aan, ver boven het gemiddelde dat ik honderd mijl kan volhouden. Ik had mezelf voorgenomen om onder de 165 te blijven. In de vakliteratuur wordt gewaarschuwd dat het lichaam zo'n hoge hartslag niet uren achtereen kan volhouden. De hoogte waarop we ons bevinden speelt natuurlijk een grote rol. Maar ik voer een strijd met het spook dat zich ergens achter me in de haarspeldbocht bevindt. Ik probeer diep adem te halen, met mijn mond ver open, en voel dat een beginnende paniek bezit van me neemt. Ik denk opnieuw dat ik niet de literatuur over zuurstoftekort had moeten lezen, de verslagen over klimmers die flauwvallen, over de intense misselijkheid die je plotseling kan overvallen. Ik projecteer dat gevoel op mezelf, want de euforie is verdwenen. Ik heb het koud, en ik ben nog maar twee uur en drie kwartier bezig met een klim die bijna vijf uur gaat duren. Had ik toch rustiger aan moeten doen, zoals de renner achter me zei?

Ik verzet me hier een halfuur tegen, maar dan krijg ik het gevoel dat ik stik, dat er een bankschroef op mijn keel gezet is. Als ik probeer dieper adem te halen, gaat dat niet meer, en ik voel intuïtief wat er gaat gebeuren. Ik ga meemaken wat het is om te stikken, om te verdrinken in de lucht. Ik ben nu helemaal naar binnen gericht, mijn ogen staren gehypnotiseerd naar het pad, ik voel weer de metronoom van mijn voeten die maar doorgaan met lopen, doorgaan met klimmen, alleen is er iets mis met wat ik zie. De wereld lijkt te snel onder mijn voeten door te schuiven. Dat veroorzaakt een duizelig gevoel, een verdwaasd effect alsof ik losgekoppeld ben van mijn lichaam. Ik heb het koud, ondanks het warme weer. Het begint verkeerd te gaan. Mijn lichaam heeft al verschillende tactieken gebruikt om extra brandstof aan te boren, en alle energiebronnen zijn uitgeput. Dit is een martelende metabolische en psychologische instorting die duursporters 'de man met de hamer' noemen.

Ik voel mijn hart samentrekken en vreemd verkrampen in mijn borst. Ik kijk op mijn hartslagmeter: ik zit op een gevaarlijk hoge hartslag van 216 slagen per minuut. Dan raak ik in paniek, want de wereld om me heen wordt steeds kleiner. Ik kijk één keer achterom, en die besluiteloosheid, die overgave – hij komt alweer dichterbij – maakt mijn angst nog groter. Ik concentreer me op mijn ademhaling. Ik zeg tegen mezelf dat ik nog maar vijf kilometer hoef. De adrenaline schiet door mijn lichaam. Vijf kilometer, dat doe ik toch elke ochtend om mijn benen te strekken? In deze sport moet je een wedstrijd in porties opdelen, in kleinere wedstrijden, en die haalbare stukken proberen te visualiseren. Ik ben niet van plan om op te geven, maar dan, na de volgende bocht, gaat de weg zo steil omhoog dat ik meer aan stijgijzers zou hebben dan aan loopschoenen.

Voor het eerst in mijn leven is het niet de vermoeidheid in

mijn benen die me vertraagt. De blaasbalg van mijn hart en longen is uitgeput. Mijn middenrif aarzelt en plotseling kan ik niet meer in- of uitademen. De ademnood heeft me in zijn greep. Ik grijp naar mijn keel en wankel. Ik voel de spreekwoordelijke plastic zak over mijn gezicht. In deze ijle lucht zit nauwelijks zuurstof. Het is een ervaring die losstaat van de tijd, dit tijdelijke sterven. Mijn lichaam voelt verstijfd. Ik probeer in te ademen en loop weer door, snakkend naar lucht. Ik doe nog een paar stappen voordat ik het bewustzijn verlies, ik weet niet hoe lang. Als ik bijkom, ben ik alleen. Ik adem wel weer, maar mijn luchtpijp brandt, mijn borst doet pijn. Ik heb een hol, onwerkelijk gevoel in mijn hoofd, ik heb last van tunnelvisie en misselijkheid. Ik kom half overeind, op één knie alsof ik boete moet doen, en blijf een tijd zo zitten hijgen. Het duurt een paar seconden voordat echt tot me doordringt dat ik net ben flauwgevallen. Ik blijf een tijd zitten en laaf me aan de lucht, terwijl de hemel boven mijn hoofd voorbijzeilt. Dit zijn de uitlopers van de hoogste plek op aarde, ik ben alleen, en ik weet niet of ik moet opgeven of moet doorgaan.

Het is wel een anticlimax dat er geen openbaring komt. Als ik wat ben bijgekomen, pak ik mijn waterfles, drink een beetje, en kijk eens om me heen. Dan komt mijn competitiegevoel weer naar boven. Ik denk als een dier: mijn overlevingsdrang heeft de angst verdrongen. Sandakphu ligt binnen mijn bereik. Ik ga staan en voel me slap in mijn benen. Mijn hoofd bonkt, maar langzamerhand pas ik me aan, word ik weer helder en kan ik me een beeld vormen van de situatie. Ik heb de man met de hamer verslagen, ik ben door mijn paniek heen gegaan. Ik heb het gevoel dat ik het nu wel zal zien aankomen als ik weer ga flauwvallen, dat ik dat risico wel kan nemen. Ik kijk achterom, naar beneden. In de diepte meen ik een glimp op te vangen van een gebogen figuur in een haarspeldbocht; ik draai me instinctief om en begin weer te rennen, naar het dak van de wereld.

De post Sandakphu bestaat uit niet meer dan drie vervallen slaapzalen en een eetzaal boven de wolken. Het is onze eerste overnachtingsplaats. Ik kom na vierenhalf uur en ruim achtendertig kilometer aan, zonder een opgetogen gevoel, alleen maar koud en moe. De toppen van de hoogste bergen zie ik maar half. Ik heb maar één, allesoverheersende behoefte: slapen. Een gids legt een deken om mijn schouders, geeft me thee en brood en brengt me naar de slaapzaal. Er brandt een vuur dat een koude, grijze gang verlicht; ik ga dicht bij het vuur zitten en voel dat de uitputting me als een verdovend middel overspoelt. De thee is sterk en warm en verwarmt mijn borstkas. Ik drink hem op en kruip in mijn slaapzak, trek mijn voeten op tot ik in de foetushouding lig en val in een onrustige slaap. Uren later kom ik weer boven zeil, als het al schemerig is geworden. Door mijn raam hoor ik lawaai buiten. Anderen komen aan. Ik ga weer naar buiten. Nu het avond wordt, valt er een diepe duisternis over de berg en wordt het bitter koud. In de verte zie ik de lichtjes van de koloniale theeplantage Darjeeling Hill Station. In het noorden ligt het mysterieuze koninkrijk Sikkim, en in het oosten Bhutan. We verzamelen ons en wachten solidair op de laatste renners. Een Iraanse man, Kio Vejdani, doemt op uit het duister, met een gebroken neus door een val op het ongelijkmatige pad. Hij zit onder het bloed. Het medische team ontfermt zich over hem, en daarmee komt er een weinig feestelijk einde aan deze dag.

In de eetzaal is het warm en er hangt een etenslucht. Buiten is het nu aardedonker en de wind huilt en rammelt om de hut. De renners schuifelen naar stomende soepterrines, nemen brood en rijst en lopen daarmee terug naar de rij stoelen die langs de vochtige muren staan. Tijdens het grootste deel van de maaltijd heerst er een onthutste stilte. We zijn opgenomen in een afgestompte, sprakeloze wereld van gemeenschappelijk gebrom en korte uitwisselingen die zijdelings gaan over wat we hebben meegemaakt. We kunnen nog niet echt onder woorden brengen wat we hebben ervaren, maar het brandt in onze pezen en spieren, in de doffe hoofdpijn die we allemaal voelen. Sommigen eten, maar anderen kunnen dat niet en zitten alleen maar naar hun bord te staren; ze weten dat ze moeten eten, maar ze krijgen het niet voor elkaar. Hoogteziekte onderdrukt de eetlust. We lijken wel een stelletje zielige vluchtelingen, of de ziekenboeg.

Twee artsen meten kalm onze bloeddruk en hartslag en luisteren of ze in onze borst het zachte, reutelende geluid kunnen horen dat *rhonchi* genoemd wordt, en het eerste signaal is van het potentieel dodelijke hersenoedeem. Sommige renners worden hier niet mee lastiggevallen: ze worden afgeschermd. Er zijn er ook een paar die de eetzaal verlaten. Ze zijn hier voor de wedstrijd, niet om ziek verklaard te worden. Ze willen finishen, ook al zijn ze kapot en uitgeput, geblesseerd, of hebben ze opgezwollen ledematen. Velen zijn helemaal geen duursporters, maar vertegenwoordigen een goed doel; ze lopen om geld in te zamelen voor doelen die variëren van kankeronderzoek tot de afschaffing van kinderarbeid in Azië. Ze geven de wedstrijd een nobel tintje, iets waardoor de onderneming uitstijgt boven de krankzinnige prestatiedrang van de duuratleten en onze moderne levensangst. Een renner uit de World TEAM-ploeg waarin gehandicapte sporters zitten, zegt heel openhartig tegen de rest, maar ook tegen zichzelf: 'Ik ben mezelf vandaag wel tegengekomen zeg, en ik ben meer over mezelf te weten gekomen dan ik wilde…' Door die woorden ontstaat er eindelijk een gemeenschappelijke, openhartige sfeer waarin onze menselijkheid en kwetsbaarheid naar buiten kan komen. We hebben nog 122 kilometer voor de boeg en we moeten het nog vier dagen op grote hoogte zien vol te houden. De doordringende rook van de naftaleenbrander verjaagt ons uiteindelijk uit de eethut.

Slaap biedt op grote hoogte geen soelaas. In feite sterven de meeste mensen juist tijdens hun slaap. De automatische ademhalingsreflex wordt sterker bepaald door de behoefte van het lichaam om kooldioxide uit te stoten dan door de noodzaak om zuurstof in te ademen. Het lichaam probeert voldoende zuurstof binnen te krijgen door sneller te gaan ademen, en daardoor neemt de hoeveelheid kooldioxide in het bloed sterk af. Onze ademhalingsreflex wordt in feite onderdrukt. Maar tijdens de slaap wordt het zuurstofgehalte in het bloed plotseling heel laag, waardoor er hypoxie ontstaat, en de renner wakker schrikt door een dreigende verstikking. Tijdens de nacht moet ik een aantal keren rechtop gaan zitten en me op mijn ademhaling concentreren. Ik voel dat mijn benen erg stijf zijn, ik kom uit bed en loop door de ijzige kou naar de gang. Er lopen nog een paar slaapwandelaars door het donker. Iemand worstelt zich uit zijn slaapzak en begint op de gang te braken. Binnen een paar uur is het alweer ochtend.

Dit moeten we allemaal weer helemaal opnieuw doen, vier dagen lang, en elke dag wordt de lichamelijke tol zwaarder, krijgen we meer blaren en pijnlijke spieren, wordt de doffe, onophoudelijke hoofdpijn erger. We leren om soms wat rustiger aan te doen en de drempel van het flauwvallen niet te overschrijden. We worden bescheidener. Elke dag beginnen we als groep, het tijdsverschil tussen de dagen wordt bijgehouden, en elke dag probeert mijn tegenstander me in de eerste kilometers op te jutten in de hoop dat ik dat fysiek niet aankan, maar elke dag weet ik me toch van hem los te maken. Op sommige stukken komen we langs smalle, alleen door geiten betreden afgronden die driehonderd meter de diepte in gaan. Als je daar even gedesoriënteerd bent en valt, word je misschien nooit gevonden. De dood ligt voortdurend op de loer, overdag, maar ook als we 's nachts slapen. We kijken de dood in de ogen, maar we houden het vol en zetten door, honderdzestig kilometer lang.

Ik houd het vol door te denken aan het raamloze domein van Microsoft, waar vierentwintig uur per dag neonlicht brandt, dat mijn wereld is geworden. Ik heb me op de een of andere manier uit die wereld losgemaakt, al is het maar voor korte tijd, en hoe langer ik ren, hoe sterker het gevoel wordt dat ik mijn leven moet veranderen als ik weer naar Amerika ga. Er is niets authentiekers dan de strijd die ik elke dag tegen deze berg lever. Hier geen splitsingen van aandelen, geen plotselinge stijging of daling van de markt; de berg en ik zijn elke dag hetzelfde, en ik heb elke dag hetzelfde uithoudingsvermogen en dezelfde motivatie nodig. Het is een simpele relatie. Ik ben Sisyfus, maar wel een gelukkige Sisyfus.

Het gevoel van krachteloosheid dat ik deze dagen ervaar, is een voorbode van wat de toekomst uiteindelijk brengen zal: het gevreesde moment dat ik mijn laatste adem uitblaas en ik verantwoording moet afleggen over mijn levensdagen en over wat ik hier op aarde heb gedaan. Maar voorlopig heb ik genoeg aan de fysieke pijn van deze letterlijke en symbolische reis. Ik heb op een bepaalde manier een klein beetje het gevoel dat ik teruggrijp op een diep in onze genen verborgen erfenis van nomadische voorouders, dat ik een weg terug heb gevonden naar een onbewust collectief geheugen, een tijd waarin we op zoek naar eten door het land zwierven. Ik heb een oerinstinct voor de omgeving, een nerveus concurrentiegevoel tegenover degenen die rondom me liggen te slapen, een bewustzijn dat meer is gericht op overleven dan op een hogere, analytische manier van denken. Ik heb het gevoel dat ik leef, en dat is een authentieker gevoel dan ik ooit heb gehad toen ik programmeerde of romans schreef. Ik voel me doordrenkt met adrenaline, en er komt een roofdiergrijns op mijn gezicht. Overleven is mijn enige doel.

Het poortje

KRISTIEN HEMMERECHTS

Kristien Hemmerechts is een van de belangrijk-ste schrijfsters in het Nederlandse taalgebied. Sinds ze in 1987 debuteerde met het bekroonde *Een zuil van zout*, publiceerde ze een indrukwekkende reeks romans, verhalenbundels en essays. In 1993 ontving zij de Frans Kellendonkprijs voor haar gehele oeuvre. Reizen is niet alleen een belangrijk thema in haar romans, ook schreef zij veel reisverhalen, waarvan een deel bijeengebracht is in de bundel *Amsterdam retour*. In 2004 verscheen *V*, een verslag van haar reis door Vietnam. Daarnaast doceert Kristien Hemmerechts Engelse letterkunde aan de Katholieke Universiteit Brussel en literatuur aan de toneelopleiding van het Antwerpse conservatorium.

Het is lang geleden. Ik woonde nog in het huis in Everberg, het huis dat mijn eerste man en ik op aandringen van mijn moeder hadden gekocht met geld dat we van de bank hadden geleend en met geld dat we van mijn moeder hadden gekregen. Ik zeg: mijn moeder, omdat zij altijd alles regelde, zowel toen als nu, maar eigenlijk was het geld dat mijn vader van zíjn ouders had geërfd. Mijn moeder had beslist dat dat geld tussen haar drie kinderen diende te worden verdeeld. Ik wil niet ondankbaar lijken, maar het was een pak minder dan ik had verwacht. Altijd had mijn moeder zich over de zuinigheid van haar schoonouders vrolijk gemaakt. En dat, zei ze erbij, terwijl ze in het geld zwommen. Wat dus tegenviel.

Ik zie de telefoon nog staan op de kast die mijn man in Wales had gekocht, want daar kwam hij vandaan. Er bestond geen betere plek op aarde om kasten te kopen, vond hij. Of beter gezegd: vond zíjn moeder. We hadden samen verre reizen gemaakt, maar we hingen met duizend draden en kabels aan onze afkomst vast. De aankoop van het huis en de inrichting ervan waren door stemmen en overtuigingen van ouders en grootouders gestuurd.

Het was avond; toch waren de rolluiken nog niet naar beneden. Buiten gaapte het zwarte gat van de nacht, maar aan de horizon brandde oranje licht: de autoweg. In paniek nam ik de hoorn van de haak en belde mijn moeder met de vraag of meter Hellebeek nog leefde.

'Maar nee, lieveke,' zei mijn moeder, 'dat weet je toch. We hebben haar begraven.'

Natuurlijk wist ik het. Het huis waarin ik stond was met een deel van haar zuurverdiende spaarcenten gekocht. Maar op het moment dat mijn hand blindelings naar de hoorn greep, wist ik het even niet. Uit het gat in mijn geheugen sijpelde angstzweet. Wat kon ik nog allemaal vergeten, als ik zoiets al niet meer wist?

Meter Hellebeek. Zo noemden wij haar, hoewel ze allang niet meer op Hellebeek woonde. Hellebeek was de plek waar de boerderij had gestaan, maar die boerderij was nog voor mijn geboorte gesloopt om voor de ring rond Brussel plaats te maken. Met ongewone vooruitziendheid gebeurde de onteigening minstens vijftien jaar te vroeg. Mijn familie leefde in ontkenning: de naam Hellebeek bleef bewaard, al lagen erf en landerijen voortaan onder een dikke laag beton.

'Meter' betekent doopmoeder of peettante, maar in Vlaanderen gebruiken we die woorden niet. Mijn grootmoeder was de meter van mijn zus, maar ze werd voor de hele familie meter Hellebeek. Als we haar niet 'meter' hadden genoemd, dan was ze 'mémé' of 'bobonne' geweest, want oma's kenden we in die tijd in Vlaanderen niet. Achteraf beschouwd had dat 'meter' iets progressiefs. Mijn familie geloofde in vooruitgang. Over de onteigening van de boerderij werd niet sentimenteel gedaan. Vlaanderen moest uit modder en klei komen gekropen om nieuwe tijden te omhelzen. Het kon niet snel genoeg gaan. En het ging snel. Mijn god, wat ging het snel. Maar er was ook veel achterstand in te halen. Dat konden wij ons niet inbeelden, zei mijn moeder, hoeveel achterstand er moest worden ingehaald. Ook mijn oma wilde vooruit. Samen met mijn grootvader werkte ze dag en nacht. Nooit werd geld over de balk gesmeten. Nooit werd achteromgekeken.

Haar moeder werd Dikke Meter genoemd. Zo dik was ze, dat ze er kwaadaardig van werd. Van 's morgens tot 's avonds zat ze op haar stoel en deelde ze met haar stok klappen uit aan wie zich te dicht in haar buurt waagde. Haar ken ik alleen van foto's. Altijd kijkt ze stuurs, altijd draagt ze zwart. Vijf kinderen had ze, van wie ik er twee heb gekend. Een derde was in dienst op het koninklijk paleis, de vierde wilde niet deugen en is spoorloos verdwenen, en het vijfde kind was niet goed in haar hoofd. Die kon zich niet beheersen. Wild en ongecontroleerd ging die tekeer. Daar was geen huis mee te houden, dus werd ze naar een gesticht gestuurd, waar ze haar hele leven is gebleven. Ze heette, denk ik, tante Marie, maar ik heb haar nooit gehoord of gezien of opgezocht. Ze mankeerde een vijs. Ze moest worden weggestopt.

Maar het beste kind, het waardevolste kind, was mijn oma. Meter Hellebeek. Rosalie Verstraete. Het kind dat met een hardwerkende boer was getrouwd, de boer die de ouderlijke boerderij had overgenomen en er orde op zaken had gesteld. Want dat was daar wel een beetje nodig geweest, zei mijn moeder zonder in details te willen treden. Dikke Meter had mogen blijven. Hoe moeilijk en tiranniek ze ook was, ze werd niet naar het een of andere gesticht gestuurd. Het zou een ander gesticht zijn geweest dan dat van haar dochter, maar een gesticht voor oude mensen was nog altijd een gesticht. Mijn oma hoopte dat ook zij dat geluk zou kennen: in haar huis te mogen blijven. Of bij een van haar zonen te kunnen intrekken. Maar nog vuriger hoopte ze samen met haar man, peter Hellebeek, in het vertrouwde, echtelijke bed te sterven. Elke avond knielden ze aan weerskanten van het bed en richtten een gebed tot de Heer. Maar de Heer hield zich doof. Hij had andere dingen aan Zijn goddelijke hoofd.

Mijn oma bleef maar leven, eerst in het grote huis, waar mijn opa niet meer bij het raam in zijn zetel zat, daarna in een bejaardentehuis. Ze wilde naar mijn opa, maar haar hart hield koppig stand. Ze had een cruciale vergissing begaan: ze had geen dochters gekregen. Als het aan haar had gelegen, had ze alleen die ene zoon gehad: mijn vader. Dat vertelde ze me vaak, dat ze dat tweede kind niet had gewild. Mijn opa had het haar gelapt. Zo vertelde ze het: hij had het haar gelapt. Eén zoon volstond om de boerderij over te nemen. En samen met de boerderij ook de boer en de boerin. Zo had het horen te gaan en zou het misschien ook zijn gegaan, indien de wereld zich niet zo gehaast voorwaarts spoedde.

Vreemde man, mijn vader. Hij kon en kan niet zwijgen over die boerderij, verklaart telkens opnieuw dat hij zich niet beter voelt dan zijn ouders omdat hij toevallig een broek op de universiteitsbanken heeft versleten, maar als jongeman kon hij er niet snel genoeg weg zijn. Het werk was hem te repetitief en de inspanning te groot in verhouding tot het resultaat. Het loonde niet, vond hij. Zijn broer had meer verstand van de boerenstiel. Die zijn hoofd stond niet naar studeren. Twee zonen. De ene: hoofd; de andere: handen.

Dit was het plan: met het geld van de onteigening kochten mijn grootouders een stuk grond, groot genoeg voor twee huizen met elk een diepe tuin waar groenten konden worden gekweekt en fruitbomen geplant en waar kippen en konijnen konden worden gehouden. Mijn oom kreeg de grond als compensatie voor het geld dat mijn vaders studie had opgeslorpt. De huizen plakten tegen elkaar en vormden elkaars spiegelbeeld. Allebei hadden ze een voortuintje en een oprit naast het huis waarover je naar de achterkant kon lopen. Nooit belden wij bij de voordeur aan. Altijd gingen wij door de keuken naar binnen. Een dikke haag scheidde de tuinen van elkaar. Maar er zat een poortje in.

Dit was het plan: als mijn oma ooit alleen zou komen te staan, dan zou ze langs het poortje in geen tijd bij haar jongste zoon zijn.

Dit was het plan: als mijn grootouders ooit hulpbehoevend werden, dan zou mijn oom langs het poortje in geen tijd bij hen zijn.

Mijn oma had buiten de waard gerekend. Wie was de waard? Haar schoondochters, ongetwijfeld, maar ook de rusteloze tijden, die voor immer nieuwe wendingen zorgden. Een blinde had kunnen zien dat mijn tante mijn oma niet in huis zou nemen. Mijn oma moest eerst letterlijk blind worden voor ze het inzag. En zelfs dan begreep ze het niet. Ook haar andere schoondochter, mijn moeder, nam haar niet in huis. Plichtsgetrouw zocht ze haar op. Ze deed haar was en kocht alles wat ze nodig had, maar ze trok een grens en die grens was haar eigen huis. Daarin nam ze mijn oma niet op.

Eindeloos lang duurde haar sterven. Zo eindeloos lang dat ik het op een dag niet meer wist: leefde ze nog of was ze al dood?

Ze was al dood.

Haar erfenis was al verdeeld.

Dood.

Iemand die er niet meer is. Die je nooit meer kunt opzoeken. Bij wie je nooit meer kunt langsgaan. Die je nooit meer met een lach begroet. Zelfs al staat het huis er nog. Het lege huis.

Ik slaag er niet in om met droge ogen over haar te schrijven.

Ik hield van mijn oma en zij hield van mij. Het was een ongecompliceerde, wederzijdse liefde. Wij waren graag bij elkaar. Ik kreeg nooit genoeg van haar verhalen. Mijn eerste roman ging over haar. Misschien was ik zonder haar nooit schrijver geworden. Mijn moeder noemde mijn liefde een vergissing. Gekwetst begreep ze mijn voorkeur voor deze oma niet. Waarom verkoos ik de moeder van mijn vader boven die van haar?

Waarom?

Omdat mijn oma nooit loog of veinsde. Ze was wie ze was.

Maar misschien loog ze wel.

Op een dag sprak een vrouw me aan op straat. Ze was een kennis van mijn oma. En waarom, vroeg ze, ging ik zo zelden bij mijn oma op bezoek? Waarom wilde ik niets met haar te maken hebben?

Geschokt verzekerde ik dat wij allen, mijn vader, mijn moeder, mijn broer, mijn zus en ik regelmatig bij mijn grootouders langsliepen.

De vrouw geloofde me niet.

Wat had mijn oma haar verteld? En waarom? Voelde ze zich

ondanks alles verwaarloosd? Besefte ze dat er van haar plan niet veel in huis zou komen?

Misschien had mijn moeder gelijk en vergiste ik mij. Wat maakt het uit? Liefde is altijd een beetje blind. Mijn oma is dood en begraven. Ik kan het haar niet meer vragen. Het huis waar ze woonde is verkocht, net als het huis van mijn ouders, vanwaaruit ik zo dikwijls naar haar vertrok, al beweerde zij tegen kennissen dat ik dat niet deed. Zelden ging ik alleen. Bijna altijd ging ik samen met mijn zus. Op een woensdagmiddag, bijvoorbeeld, als we geen school hadden en mijn moeder niet goed wist hoe ze ons kon bezighouden. Dan nam ze de eierbakjes uit de keukenkast en zei ze: 'Kinderen, ga eens eieren halen.' Mijn oma en opa hielden kippen en die legden eieren en die eieren werden verkocht. Ook mijn ouders moesten voor de eieren betalen, maar af en toe kregen ze een kip. Die was zo oud en taai dat er alleen soep van kon worden gekookt. En ook ingemaakte groenten kregen ze en rijstepap in een schaal die de vorm had van een vis. Het was twintig minuten lopen van het ene huis naar het andere. Het is nog altijd twintig minuten lopen.

Om het zo 'echt' mogelijk te maken, rijd ik niet rechtstreeks naar mijn oma's huis, maar begin ik bij dat van mijn ouders. In een oogopslag kun je zien dat het hun huis niet meer is. De verf bladdert en de gordijnen zijn vuil. Als mijn moeder het zag, brak haar hart.

In gedachten bel ik aan. Ik ga de trap naar de woonkamer op, glip de keuken binnen, neem de eierbakjes uit de kast. Ik beloof mijn moeder goed naar links en naar rechts te kijken voor ik de straat oversteek. De verkeersdrempels zijn nieuw. Vroeger raasde het verkeer hier ongehinderd. Alles en iedereen had haast; niemand kon wachten tot twee meisjes met eierbakjes de overkant hadden bereikt.

We moesten van mama langs de Amazonenlaan lopen, want die was minder druk dan de Berkendallaan. Er lag een speelpleintje met een klimkooi en schommels en wipplanken. Uren en uren zaten we hoog in de klimkooi te kletsen. Of we hingen met ons hoofd naar beneden. Het pleintje is er nog, maar de klimkooi is verdwenen. Er staat nu speelgoed dat aan veiligheidsnormen beantwoordt. En het braakland waardoor een pad liep waarmee we een hoek konden afsnijden, is bebouwd. Jaren geleden al is de straat van mijn grootouders doorgetrokken, maar vroeger hield het wegdek abrupt op en moest je verder langs een pad. Voorbij de huizen van mijn grootouders en mijn oom en tante lagen velden waarop gouden tarwe groeide. De boer woonde er, bij wie je met een kan verse melk kon halen. 'Ecologisch tuinbedrijf' heet het daar nu. Je kunt er 'biologische groenten en fruit' krijgen. In de hele omgeving is niet één veld te bespeuren. Allemaal verkaveld en verknipt en bebouwd en met beton en baksteen toegedekt.

Het huis van mijn grootouders heeft het beter getroffen dan dat van mijn ouders. Er wonen mensen met smaak. De oprit naast het huis is verbreed zodat er een auto bij de garage kan, die bizar genoeg aan de achterkant van het huis ligt. Het is een garage die ontworpen is door mensen die nooit een auto hadden gehad en er ook nooit eentje zouden hebben. Mijn opa had er zijn werkbank en er stond een bak met meel voor de kippen en in een hoek lagen de aardappelen die hij had gerooid. Het levendigst herinner ik me de geur.

Ik had me voorgenomen om aan te bellen. Ik zou zeggen: 'Goeiemiddag, ik ben de kleindochter van de oorspronkelijke eigenaars en ik had graag het huis nog eens bezocht. Als het u niet stoort, zou ik graag even binnenkomen.'

Hoe dichter ik het huis naderde, hoe onmogelijker het me leek om aan te bellen. Wilde ik wel binnengaan in het huis van wildvreemden? Ik ben niet achterlijk. Ik weet dat hét huis niet meer bestaat. Het is nu een heel ander huis. Kon ik het niet beter intact in mijn hoofd laten bestaan? En wat als mijn oom of tante me zag? Ik had in geen jaren met ze gesproken. Hoe zou ik mijn aanwezigheid verklaren?

Ik nam me voor te liegen. Ik zou schrijven dat ik tevergeefs had aangebeld.

Maar ik lieg niet graag. Ik heb een hekel aan liegen. Waarmee ik niet wil zeggen dat ik nooit heb gelogen. Natuurlijk heb ik gelogen. Maar als het kan, vermijd ik het.

Ik zweer dat dit de waarheid is: ik heb niet aangebeld, maar er was niemand thuis. Stilletjes ben ik over de oprit naar de achterkant van het huis gelopen. Daar zag ik de rode bakstenen waarmee de opening in de haag is dichtgemaakt, de opening waar vroeger het poortje zat, het poortje waarop mijn oma al haar hoop gevestigd had.

Ik beken dat ik schrok. Dat de kippenren was afgebroken en de moestuintjes waren omgespit, kwam niet als een verrassing. Maar die rode stenen zagen er zo nieuw uit, zo blozend haast, alsof het muurtje in de wetenschap van mijn komst de dag voordien nog gauw was gemetseld. Alsof iemand me wilde duidelijk maken: er is geen weg terug.

Kleine dingen

GAIL SINGER

Gail Singer is documentairemaker; ze heeft onder meer *Wisecracks, Abortion: Stories North and
South*, en *Portrait of the Artist as an Old Lady* op
haar naam staan. Haar meest recente productie
is *Watching Movies*. Singer woont in Toronto en
reist veel, voor haar werk en voor de lol.

In de kleine stad op de prairie waar ik ben opgegroeid, had je bijna alles: een concertzaal en een schouwburg, een universiteit en een Frans restaurant, en een jazzclub waar meestal muzikanten uit de stad optraden en soms muzikanten uit andere plaatsen. Shelly Manne speelde hier een keer in het voorprogramma van het Kingston Trio en kwam naderhand in de jazzbar. Lenny Breau vermaakte het publiek in het koffiehuis. Er was een restaurant waar de zwarte eigenaren *southern-fried chicken and ribs* serveerden, en een 'Chinatown' waar je Canadees-Chinees en echt Chinees kon krijgen. Je had een groot park met een dierentuin, en een rivier die ongezien door de stad liep, omdat niemand nog op het idee was gekomen dat het misschien wel leuk zou zijn om langs de rivier te wandelen.

Er waren oude families met oud geld in grote huizen, geïmmigreerde joden, Oekraïners en indianen. Maar je had vooral veel gewone lagere middenklasse die alles graag bij het oude wilde houden, hoe marginaal hun bestaan ook was, want deze burgers waren erg bang dat ze hun tweedehands auto, hun bungalowtje, hun gazonnetje en hun baan zouden kwijtraken.

Als een meisje de poppen was ontgroeid, kon ze de eindeloze tijd doorkomen door zich met haar boeken en tijdschriften op te sluiten. Ze kon brieven schrijven, heel veel brieven, naar James Dean, Sal Mineo, Doris Day, Debbie Reynolds, Tony Curtis, Elvis Presley, Elizabeth Taylor, en nog veel meer mensen. Soms schreven ze terug, sommigen stuurden een foto met handtekening mee. De vraag was dan: was die inkt op de foto wel echt? Had Alan Ladd dat echt zelf geschreven: *Voor Gail, liefs, Alan Ladd*?

In zo'n stadje kon je als meisje maar net een vleugje opvangen van de geur van het leven in de buitenwereld: een toevallige glimp van iets wat buiten je eigen ervaring lag, zoals een schilderij ergens in een stoffige galerie, een toevallig programma op de radio, later een onverwacht beeld op een televisiescherm in een woonkamer. We gingen naar het Franse restaurant en dachten dat dit een kopie was van de Franse restaurants die je 'daar' ook had. Donkere, geurige uiensoep met een stuk brood en een laag gesmolten Zwitserse kaas erop. Dat leek toch in de verste verten niet op een kom kippensoep met matseballetjes.

We hadden mazzel als we bij een optreden van Pete Seeger of Little Richard in de jazzclub of het koffiehuis konden zijn. We voelden ons heel wereldwijs in de Haynes Chicken Shack, bijna alsof we ons op verboden terrein bevonden, al zou niemand dat zo zeggen omdat het beschouwd kon worden als een vooroordeel tegen de negers (zoals ze toen genoemd werden). De eigenaar ging soms achter de piano zitten om een paar nummers te spelen, en dan had je echt het gevoel dat je wist hoe het er in de echte wereld aan toe ging.

Want dat was het. Het gevoel dat dit niet de echte wereld was. De echte wereld was ergens anders. De echte wereld zag je in films: de straten en cafés en restaurants waar de filmpersonages liepen, aten, vochten en vrijden. Filmpersonages die je dingen lieten denken en voelen die je nooit met déze mensen in deze stad kon denken of voelen.

Door het verlangen naar zo'n plek die buiten onze eigen belevingswereld moest bestaan, gingen sommigen op zoek naar het echte leven. Anderen vulden de gaten op waar dat verlangen doorheen kon sijpelen met liefde, seks, een gezin, geld verdienen en succesvol worden. De magneet van het vertrouwde wint het bijna altijd.

Maar. Maar. Het leek zo laf, zo onnatuurlijk bijna om te blijven. Maar waar moest je heen?

Alleen een buitensporige reis kon bewijzen dat ik gelijk had. Gelijk waarin? Dat je beter weg kon gaan dan hier maar te blijven hangen? Dat je hoog moest mikken? Moest ik naar Hollywood, New York, Londen? Het werd Hollywood, want die droomfabriek had altijd al in mijn achterhoofd gezeten.

Uit de film *Diner* uit 1982 komt de oneliner 'vrouwen hebben geen gevoel voor humor', een opmerking die een soort mantra is geworden voor de mannen in de feministische golf van het hierop volgende decennium. Ik heb die opmerking net iets te vaak gehoord en in 1989 bedacht ik er een antwoord op: *Wisecracks*, een documentaire over vrouwelijke stand-upcomedians. Ik hield mezelf voor dat als dit geen bijzonder grappige film zou worden, het in elk geval toch een belangrijk tijdsdocument zou worden over het beeld van vrouwen aan het eind van de twintigste eeuw. Wat ik niet bewust onder ogen zag was dat het ook een fraai excuus voor me was om naar Hollywood te gaan.

Ik had het idee dat mijn uitstapje naar Hollywood een makkie zou worden. Er werd gezegd dat performers zo graag eens een intelligent gesprek over hun vak wilden voeren, dat ze voor me in de rij zouden staan. Ik hoefde alleen maar te verkondigen waar ik mee bezig was en ze zouden uit mijn hand eten. Pr-mensen gaven me de goede raad om vooral rond te bazuinen dat een van mijn eerdere films een speciale vermelding had gekregen van de Academy of Motion Picture Arts and Sciences, wat volgens hen bijna hetzelfde was als een Oscar. En omdat zoveel mensen in Hollywood altijd zeiden dat ze het meest van documentaires hielden, dacht ik dat deze bescheiden blufpartij wel afdoende zou zijn.

Ik probeerde van de luchtvaartmaatschappijen gratis tickets te krijgen voor mijn filmploeg, met als argument dat ze me daarmee zouden helpen om een film te maken die de hele wereld over zou gaan. Het lukte niet. Businessclass? Nee. Gratis bagagevervoer? Nee. We moesten het gebruikelijke aantal van tweeëntwintig koffers voor alle filmapparatuur drastisch beperken. Ik vroeg de filmploeg, die alleen uit vrouwen bestond, om zo weinig mogelijk bagage mee te nemen, maar de berg bagage bleef maar groeien. Geen gunstig begin van de opnames.

Ik had huisvesting voor de hele filmploeg gevonden in de Magic, een motel van twee verdiepingen in de buurt van Sunset Boulevard, genoemd naar het Magic Castle, waar goochelaars 's avonds hun vak beoefenden, piano's lieten spelen zonder pianist, spoken lieten verschijnen, munten wegtoverden, en waar komieken en andere artiesten de vaste klanten vermaakten. Hoewel ik niet zo'n fan ben van zulke shows, vond ik het toch wel leuk dat ik de kans kreeg er een keer als introducee heen te gaan. Je kon er namelijk niet zo gemakkelijk binnenkomen. Ik was hier nog maar net, of de Hollywood-ziekte had al toegeslagen: je wilt alleen ergens heen als dat eigenlijk niet kan.

De Magic had een zwembad en een palmboom op een soort binnenplein. Tot mijn verbazing haalden de leden van mijn filmploeg onmiddellijk badkleding tevoorschijn en ze installeerden zich aan de rand van het zwembad. Tot mijn ergernis begonnen ze een eindeloze hoeveelheid polaroidfoto's van elkaar te nemen, terwijl hun vleeskleur veranderde van winterwit in alarmerend knalroze. Mijn productiemanager en ik hadden een grote suite die zo donker was dat ik niet eens de hele ruimte kon overzien. De vloerbedekking was zo hoogpolig dat je er ongeveer tot je enkels in wegzakte, en we vreesden dat zich daar jarenlang stof en rommel in had opgehoopt. Er kwam wel om de zoveel dagen iemand de lakens verschonen, maar voor zover ik wist bleef het daarbij.

Er waren ook gewone mensen in het motel, waarvan sommigen ook de hele dag bij het zwembad rondhingen. De eerste dagen ging ik bij mijn filmploeg zitten, maar ik had het gevoel dat ik een intercontinentaal telefoongesprek voerde en eindeloos lang in de wacht gezet werd. De tijd tikte maar door en ik wist niet eens wie er aan de andere kant van de lijn was. Alle interviewpijlen die ik had afgeschoten, misten hun doel. In de tussentijd zat de geluidsvrouw de hele dag in de fitnesszaal en ging de cameravrouw minstens één keer per dag schoenen kopen. De productiemanager sloot vriendschap met de receptioniste, iemand die ik links liet liggen. Zij was onbelangrijk, slechts personeel. Zij was niet Hollywood.

Na tien dagen had ik nog steeds niemand die in mijn film wilde. Maanden tevoren had ik al geschreven naar de aartsmoeders van de comedy: Whoopi Goldberg, Phyllis Diller, Joan Rivers en Carol Burnett. Ik had de hulp ingeroepen van zoveel mogelijk mensen die ik hier kende, of die ik via via kende. Ik had geen enkele reactie van de sterren gehad. Nul komma nul.

Een van mijn researchers had een organisatie ontdekt in de buurt van San Francisco, die humor inzette als communicatiemiddel voor moeilijke kwesties waarmee maatschappelijk werkers werden geconfronteerd. Omdat in Hollywood niemand met me wilde praten, besloot ik naar San Francisco te vliegen en dit aan een nader onderzoek te onderwerpen. Mijn researcher haalde me af van het vliegveld en bracht me naar Marin County, waar we een kijkje mochten nemen bij deze groep.

Mijn filmmakersinstinct werd meteen wakker toen we de grote, lichte ruimte binnenkwamen. Een groepje mensen liep in een cirkel over de roodhouten vloer en een spreker was net een lezing aan het afronden. De aanwezigen draaiden zich om en staken hun handen uit, zodat we opgenomen konden worden in de kring. Ik fluisterde snel tegen mijn researcher dat ik liever gewoon wilde kijken, maar we werden van elkaar gescheiden en opgenomen in de draaiende kring. Plotseling kwam de kring tot stilstand en de leider riep: 'Oké, theepotten!'

De mensen die aan weerszijden van mij stonden, lieten me los, legden hun ene hand tegen hun schouder en staken de andere recht vooruit, op schouderhoogte, een beetje als een Egyptische hiëroglief. Iedereen in de kring deed hetzelfde, zelfs ik, al was het maar omdat ik geen zin had om op te vallen of een of andere uit-brander te krijgen. Op dat moment borrelde uit mijn diepste ge-heugen een kinderliedje over een kleine, dappere theepot om-hoog: *I'm a little teapot, short and stout, here is my handle, here is my spout. When I get all steamed up, hear me shout, tip me over and pour me out.*

Laat me gaan! schreeuwde ik inwendig toen de hele groep zich omdraaide, als een stelletje indianenjagers. Iemand maakte zich los en ging in het midden van de kring staan, zodat zich een twee-de kring vormde. Eindelijk kwam ik dicht genoeg bij mijn re-searcher in de buurt om tegen haar te kunnen fluisteren: 'Als je niet zorgt dat we hier binnen tien minuten weg zijn, dan sta ik niet voor mezelf in.' Waarschijnlijk schrok ze daar nogal van, want het duurde niet lang voor ze aankondigde dat we zouden gaan en later nog contact zouden opnemen.

'Wat was dat in godsnaam?' vroeg ik haar.

'Dat was humor in Marin County,' antwoordde ze terneerge-slagen.

Ik vloog moedeloos terug naar Hollywood, niet wetend wat ik nu weer moest beginnen. Een vriendin had me voorgesteld aan de eigenaren van de Improv, de beste comedyclub ter wereld, en ik hing daar vaak rond: 's avonds lachte ik me suf, maar overdag kon ik wel janken en maakte ik me vreselijke zorgen. De vrouw van de eigenaar, Joanne, probeerde te doen wat ze kon. Ik stond vlak bij haar bij de deur toen op een avond Roseanne Barr bin-nenkwam. Joanne zei: 'Mag ik jullie aan elkaar voorstellen, Gail is een documentairemaakster uit Canada en ze is bezig met een film over vrouwelijke stand-upcomedians.'

Ik zag dat Roseanne een wazige blik in haar ogen kreeg. 'Goh, ik weet niet, we zijn eigenlijk net... o, sorry, daar zie ik Tom [Arnold], ik moet er helaas vandoor.'

Joanne keek me verontschuldigend aan. 'Het hangt er maar net van af op welk punt ze staan in hun loopbaan.'

De volgende avond stelde ze me voor aan Jay Leno. 'Wow! Wat een fantastisch idee! Wie doen er tot nu toe allemaal mee?

Heel veel succes, echt fantastisch.' En hij liep weg.

Een andere vriend kende Robin Williams. Hij dacht dat Robin me misschien wel op de een of andere manier zou kunnen helpen. Ja, misschien zou hij met me kunnen trouwen, zodat ik dit stomme idee kon vergeten. Maar hij wilde toch liever niet bellen, omdat de film nog niet echt op poten stond. Zou dat ooit nog gaan gebeuren?

Ik had een vriendin in Hollywood die bij mij in de buurt was opgegroeid. Ze was al officieel lesbisch voordat de meeste mensen wisten wat dat was. Ik had haar in geen jaren meer gezien, maar ik belde haar op en ze nodigde me bij haar thuis uit. Ze woonde in een bescheiden Hollywood-versie van een prairie-bungalow uit de jaren vijftig, met zwembad en personeel, wat ik heel geweldig vond. Ze had ook een nieuwe naam en ze produceerde een muziek-comedyfestival voor homo's en lesbiennes. Ze was zelf stand-upcomedian geweest en ze wilde wel geïnterviewd worden, zodra ik kon vertellen wie er nog meer in de film kwamen.

Van pure frustratie nam ik de filmploeg mee naar Melrose Avenue, want de vrouwen lagen toch maar de hele dag aan het zwembad te flirten met de schoonmakers die zich nooit in onze kamers lieten zien. Ik wilde wat 'sfeeropnames' maken van Hollywood. Ik had nog geen idee hoe ik die opnames zou kunnen gebruiken, maar het is een vrij normale bezigheid als je een documentaire maakt en niet veel anders te doen hebt. We stonden net naar een raam te kijken waar een of andere plastic buste stond, toen de geluidsvrouw zei: 'Hé, is dat niet Whoopi Goldberg?' Het was inderdaad Whoopi: ze kocht een ijsje bij een kraampje, zoals zoveel mensen doen. Ik overwon mijn Canadese neiging om iemand die bezig is niet te storen, en mijn eigen neiging om iemand die een ijsje aan het eten is niet lastig te vallen, en ik stapte op haar af. Ik vertelde dat ik al maanden tevergeefs met haar in contact probeerde te komen. Dat ik mijn filmploeg bij me had, of we een interview konden doen, hier ter plekke, of een andere keer, of waar en wanneer dan ook.

Ze vertelde dat ze aan het repeteren was met Robin Williams en Billy Crystal voor *Comic Relief*, en dat we wel naar het Shrine Auditorium konden komen, dan zou ze kijken of ze tussendoor tijd voor ons kon vrijmaken. Meer kon ze niet doen. Ik probeerde niet in tranen uit te barsten van dankbaarheid en antwoordde dat ik dacht dat we dat wel in ons drukke schema konden inpassen.

De dagen hierna was ik vooral erg bang dat ze zou vergeten om tegen de bewaking te zeggen dat ze ons door moesten laten, dat ze van gedachten zou veranderen, dat ik het me allemaal had ingebeeld. Whoopi was helemaal cool. Ineens ging de film echt door!

Die avond zei ik in de Improv tussen neus en lippen door dat Whoopi had gevraagd of we opnames kwamen maken bij *Comic Relief*. En prompt vroegen allerlei comedians of ze misschien ook in mijn film mochten. De vrouw van de baas, Joanne, hielp me de eigenaren ertoe te bewegen een avond met uitsluitend vrouwelijke comedians te organiseren, zodat ik achteraf kon bekijken wie ik in mijn film wilde. Zo maak ik mijn films het liefst: alles filmen en het ritme laten bepalen door het materiaal, in plaats van het ritme van tevoren vast te stellen zoals producenten graag willen. Dat is toch absoluut niet spannend meer? Dat is toch geen ontdekkingstocht? De eigenaren stemden met het plan in.

Langzaam, heel langzaam, mocht ik het koninkrijk Hollywood betreden. Nu was het belangrijk om specifieke beelden te gaan opsporen die duidelijk zouden laten zien dat ik de aorta van Hollywood had gevonden. Ik vond dat de film een dergelijke authentieke sfeer zou moeten krijgen. Hollywood and Vine? Ik was gewaarschuwd om daar in de buurt niet uit de auto te gaan. De grote studio's dan, met de achterliggende terreinen? Of de hightech post-productiebureaus waar gezichten van filmsterren worden gekloond en lachbanden worden gefabriceerd? De huizen van overleden filmsterren? Ja, maar je moet maar net zin hebben om met een stelletje toeristen een veel te dure maaltijd te nuttigen in wat ooit de woonkamer van Rita Hayworth was.

Toen werd ik gebeld door Phyllis Diller. Of ik contact wilde opnemen met haar agent en tegen hem wilde zeggen wanneer ik naar haar huis zou komen. Dat deed ik. Ik was niet zo dol op Phyllis Diller, maar ik vond dat ik het me niet kon permitteren om iemand te weigeren. Ze woonde in een nog veel grotere versie van de Hollywood-bungalow in prairiestijl, en net als bij de huizen van veel oudere beroemdheden waren ook hier de gordijnen gesloten en brandden er een paar schemerlampen. Ze begroette me hartelijk bij de voordeur in een t-shirt en een korte broek en bijna zonder haar – ik bedoel echt bijna kaal – en nam me mee naar het boudoir, waar ze me opdroeg een outfit uit te zoeken. Ahhh! Mijn eerste echte kennismaking met glamour! Haar kledingkast was veel groter dan mijn huis. Haar slaapkamer was veel groter dan het prairiestadje waar ik ben opgegroeid. Met haar voorraad jurken en gewaden zou je zeker tien jaar vooruit kunnen, en met haar voorraad pruiken zeker tot in de volgende eeuw. Uiteindelijk koos ik een gevederde maraboesjaal voor bij haar outfit.

Het dienstmeisje van Phyllis klopte aan om te zeggen dat Phyllis' agent er was en liet hem binnen. Hij ging zitten, keek met een kille, sceptische blik naar ons en ging na een kwartiertje weer weg. 'Hij was ook de agent van Bob Hope, en van Bing Crosby, en nu ook van mij. Verbazingwekkend, of niet?' Daar zat ze, Phyllis Diller, op die vrijdagmiddag in haar slaapkamer; ze speelde briljant Bach op haar antieke clavichord, omringd door manden met verbleekte zijden bloemen terwijl de late middagzon door de dunne gordijnen viel.

'Filmen,' riep ik.

Mevrouw Diller, de comédienne van in de zeventig die een fortuin had verdiend door zichzelf niet ter zake doend, simpel en dom te maken, begon aan een onvergetelijke analyse van de fysieke structuur van stand-upcomedy. Wie had kunnen denken dat er achter al die facelifts en make-up en oogwimpers en lippenstift een erudiete geest zou schuilgaan?

Twee uur later, toen ik wegging, gaf ze me een boek: *The magic of believing*, een felrode kleine paperback. Ze had erin geschreven: *Voor Gail, LIEFS, Phyllis Diller*. De auteur had het volgende motto voor het boek gekozen: 'Alles kan voor wie gelooft.' Het was de bijbel van mevrouw Diller, die ze als een amulet aan mij gaf.

Hierna ging het in een sneltreinvaart verder. 's Avonds in de Improv, interviews thuis bij Paula Poundstone (die nog niets onvertogens had gedaan), Ellen DeGeneres (iemand uit mijn filmploeg was boos omdat ze dacht dat Ellen lesbisch was maar daar niet voor uitkwam), wijlen Lotus Weinstock, de recentste vriendin van Lenny Bruce. Haar dochter bracht ons toen we weggingen een vioolserenade op de parkeerplaats terwijl wij onze spullen inpakten, wat een hele menigte kijkers trok. We filmden Pam Stone te paard in de Malibu Canyon, en Joy Behar backstage kauwgum kauwend, en Jenny Jones, die achteraf vroeg of we niet bekend wilden maken dat zij stand-upcomedy had gedaan, omdat ze bang was dat het haar televisiecarrière in de weg zou staan. Wat een logica.

De vrouwelijke comedians vond ik veel fragieler dan de vrouwen uit de Derde Wereld die ik gewend was te filmen en die slachtoffer zijn van misbruik, geweld en honger. De comedians zouden natuurlijk meteen zeggen dat zij ook te lijden hebben onder misbruik, geweld en honger. Het is gewoon een kwestie van gradatie.

Joanne, de behulpzame echtgenote van de eigenaar van de Improv, vertelde tussen neus en lippen door dat zij ook stand-upcomedian was en dat ze graag mee wilde doen aan de show. Natuurlijk, zei ik welwillend, terwijl ik bedacht wat een tactische zet dit was. Ha! dacht ik. Knap gespeeld om nu in de film te komen.

Van het ene op het andere moment had ik vrij toegang tot de Improv. Ze gaven een lunch waar een stuk of tien van de beste comedians kwamen opdagen. Wow, kilometers film rolden door de camera.

De Improv begon een tweede huiskamer te worden. Als sociaal gebaar bood de Improv 's middags, als de club gesloten was, ruimte aan bijeenkomsten van de Anonieme Alcoholisten. Ik ging een aantal keren naar de bijeenkomsten op zaterdagmiddag, samen met half Hollywood. Niet omdat ik een drankprobleem had, maar omdat ik had gehoord dat je er erg veel mensen kon ontmoeten, vooral filmsterren en muzikanten. Dat kon ik natuurlijk niet laten. De 'twaalfstappenmethode' met een knipoog. En heerlijke pindakaas-kwarktaart.

De meeste mensen in Hollywood doen aan fitness in grote sportscholen op apparaten die in een ander tijdperk voorbehouden waren aan revalidatieziekenhuizen. Dat was niks voor mij. Ik had iemand leren kennen die ook van wandelen hield, net als ik, en die me een geheimpje vertelde. Vlak onder de grote letters die de naam Hollywood vormen, zijn kilometerslange wandelpaden die helemaal naar die letters en nog verder lopen, waar je veel wilde bloemen en wilde dieren kunt zien (coyotes, ratelslangen en herten) en nauwelijks mensen tegenkomt. Het is daar zo onwaarschijnlijk vredig en ongerept dat je haast niet zou geloven dat je je achter die letters bevindt. Het is een beetje alsof je onzichtbaar achter een filmdoek staat en naar het publiek kijkt. Ik vond vooral het uitzicht achter de W erg mooi. Het was heel bijzonder. Ik wist zeker dat bijna niemand uit een middelgroot provinciestadje hier ooit was geweest, in elk geval niemand uit mijn familie. Zelfs filmsterren waagden zich hier niet, behalve om zelfmoord te plegen…

De avond met alleen vrouwelijke stand-upcomedians in de Improv was echt geweldig. De club zat stampvol, en hoewel er maar weinig bekenden bij waren – Ellen DeGeneres, Joy Behar, Maxine Lapidus, Kim Wayans en vele anderen –, zouden ze dat ongetwijfeld worden. Toen we de volgende dag bij de poort van het Shrine Auditorium kwamen, zei ik tegen de bewaker hoe ik heette; 'Rechtdoor en dan rechts aanhouden,' zei hij meteen. Whoopi was het niet vergeten.

Toen we binnenkwamen, werden we aangestaard door een enorme batterij vakbondscamera's. We waren een soort anachronisme in voorwaartse en achterwaartse zin: allemaal vrouwen, met onhandige 16mm-filmapparatuur. Ik maakte me een beetje zorgen over onze aanwezigheid hier, tussen al die vakbondscollega's, maar waarschijnlijk zagen we er zo maf uit dat niemand ons eruit zou smijten. Whoopi kwam naar ons toe en vroeg ons om behalve haar verder niemand te filmen, tenzij we daar toestemming voor hadden. We keken naar deze drie fenomenen, Whoopi, Robin en Billy, zeer geïmponeerd door de woordkunst van Robin en Billy. 'Film ons,' smeekten ze. Robin begon eerst met onze camera te flirten, daarna Billy. Whoopi fluisterde tegen me dat ze niet zo ad rem en geestig was als die twee, en dat ze om andere redenen bij *Comic Relief* zat. Plotseling drong tot me door waarom wij daar waren: we waren haar ploeg, de privéfilmploeg van Whoopi, waardoor de verhoudingen weer een beetje rechtgetrokken werden. Ik vond dat eigenlijk wel ontwapenend.

Algauw kwam de dag dat ik met al mijn materiaal uit Hollywood zou vertrekken. Op weg naar huis ging ik in San Francisco bij mijn broer langs, en terwijl ik daar was, werd er voor me gebeld. Mijn broer reikte me de telefoon aan en zei: 'Het is voor jou, Gail.' En hij voegde er theatraal fluisterend aan toe, alsof we weer tieners waren: '... een man voor je.' Ik nam de telefoon van hem aan. 'Hallo. O, hoi, Robin.' De mond van mijn broer viel open. 'Robin Williams aan mijn telefoon?' articuleerde hij geluidloos. Hij was jaloers. Dat was al meer dan genoeg, maar het was nog niet alles. Robin vroeg luchtig hoe hij in mijn film kon komen. 'Dat kun je niet,' zei ik. 'Je bent een man. Je moet een vrouw zijn om erin te komen.' Oké, misschien was het oerstom van me en heb ik op dat moment mijn leven verpest, maar als hij mee zou doen, zou dat de hele sfeer van de film verknoeien. Hij zou de show stelen. En dus wees ik hem af.

Uiteindelijk kwam ik erachter dat de receptioniste van de Magic met wie mijn productiemanager bevriend was, de receptioniste die in mijn ogen zo onbelangrijk was, onmisbaar was geweest voor het succes van onze filmopnames. Steeds als wij iets of iemand nodig hadden voor de *grip*, het licht of de screening, had de productiemanager aan de receptioniste gevraagd of ze wist waar wij dat- of diegene konden krijgen, en was de receptioniste voor ons op zoek gegaan. Zij had de allerbeste connecties in de hele stad.

Robin Williams bood zelfs nog aan om zijn optreden verkleed als vrouw te doen, maar ik bleef nee zeggen. Zou dat nou oerstom of heel integer van me zijn? Er was iets aan die – al dan niet gemiste – kans wat me deed terugdenken aan mijn stadje op de prairie. Iets wat te maken had met dingen in de juiste of in de verkeerde volgorde doen.

Het is grappig, maar het pad achter de Hollywood-letters was eigenlijk de kroon op dit documentaireonderzoek: het hoogste punt in een stad vol superlatieven, maar toch niet bekend, niet verpest, zonder glamour. Net een prachtige filmster zonder make-up. En ik heb er geen meter film geschoten.

Pas nu begin ik de kwetsbare overtuiging te begrijpen die het duizend-in-een-dozijn-prairiestadje in ons heeft gevormd: een onbenoembaar verlangen dat zó intens is, dat wij er levenslang van in de ban zijn. Sommigen zijn in de wereld op zoek gegaan naar het echte leven. Anderen proberen al hun hele leven in dat prairiestadje het echte leven voor elkaar te krijgen.

En mijn zoektocht in Hollywood? Welk licht heeft die stad van illusies op mijn gevoel van 'echtheid' geworpen? Wat doet het er ook eigenlijk toe waar je bent, als je in vervoering kunt raken door herinneringen aan je eerste liefde, door een geur die je ergens aan doet denken, een bepaalde melodie of de smaak van je eerste kom uiensoep. Zoek een echte plek en leef je leven. *'On these my heart has wings, these foolish things, remind me of you.'*

Oei, daar ga ik weer.

Bemin alleen

uw zwaard

KATHERINE GOVIER

Katherine Govier is auteur van drie verhalen-bundels en acht romans en heeft daarnaast de bundel *Vrouwen op reis* samengesteld. Ze is onder andere voor haar tijdschriftartikelen en *Hearts of Flame* bekroond. De *New York Times* noemde *Creation* 'een opwindend, genuanceerd, poëtisch keerpunt' met een 'betoverende zeggingskracht'. In 2005 verscheen *Three Views of Crystal Water*, een roman over een parelduikster in Japan. Ze woonde in Toronto, Londen en Washington en brengt zoveel mogelijk tijd door in de Rocky Mountains. Ook is ze een actief beoefenaar van klassieke oosterse vechtkunsten en tennist en skiet ze.

'Het is dankzij het zwaard dat zowel in de samenleving
als in de mens zelf orde wordt geschapen.'
Miyamoto Musashi, *De strategie van de Samoerai*.

In het oude Japan maakten krijgers, priesters en blinden van hun
hele leven een pelgrimstocht door al bedelend van de ene punt
van het eiland naar de andere te lopen. De man die mij inspi-
reerde, reisde veertig jaar lang, alleen, het land op en neer, op
zoek naar tegenstanders, een spoor van overwonnenen achter zich
latend. Volgens de legende dook hij op in Tokio, Kyoto, en in
de nauwe landengte tussen Honshu en Kyushu, maar het enige
wat we zeker weten is waar hij de laatste vijf jaar voor zijn dood
doorbracht. Dat feit is bekend omdat hij ons dat in zijn eigen
woorden heeft verteld, in *De strategie van de Samoerai*.

'In de eerste week van de Tiende maand van het Twintigste
jaar van Kan'ei [1643] beklom ik de Berg Iwato in de provincie
Higo op het eiland Kyushu, boog ik in diepe eerbied voor de
Hemelen, aanbad Kannon en stond oog in oog met de Boeddha.'

De aanbidder in kwestie en de man wiens route ik ga volgen,
is Miyamoto Musashi, de grootste zwaardvechter aller tijden. Het
ogenblik dat hij beschrijft, toen hij zich aanbood aan zijn goden,

had plaats aan het einde van een leven dat getekend was door geweld. Een bijzondere lijdensweg, die van de onafhankelijke lansier, had hem daartoe gedreven. Musashi was geen huurmoordenaar, hoewel sommigen hem wel als zodanig beschouwen. Hij was zwaardvechter en leraar, en volgens de strenge regels van de feodale Japanse samenleving doodde hij alleen mensen in onderling overeengekomen omstandigheden, waarbij beide zwaardvechters hun vechtstijl wensten te testen. Een bijzondere wijsheid, een concentratievermogen dat slechts bereikt wordt door het handjevol mensen dat jarenlang beoefent wat in zijn woorden 'de geest van water' heet, hebben hem een faam gegeven die even duurzaam is als die van Shakespeare. Op achtenveertigjarige leeftijd besloot ik op zoek te gaan naar mijn eigen geest en werd ik een ogenschijnlijk kansarme leerling in de oosterse vechtkunsten. Ik leerde iets over Musashi's kunst en gedachtegang, en ik was gefascineerd door die confrontatie: de samoerai en de god van het mededogen. Ik besloot om ook de berg Iwato te beklimmen.

's Ochtends om 5.37 uur betreed ik het spoorwegstation Hakata Japan. De keurige daklozen slapen nog. Ze liggen opgerold, ieder op zijn eigen stuk karton ter grootte van een tatami, de lakens voor denkbeeldige privacy onder handbereik achter een pilaar of op de rand van een balie. Eentje wordt er wakker als ik langs hem loop. Hij ziet er netjes uit, allesbehalve strijdlustig, en pakt het bekertje koffie dat naast hem staat.

De enige plek waar ik cafeïne kan krijgen is een Mister Donut: feloranje uitgevoerd en hel verlicht. De automatische deur schuift open en ik betreed een geluidsstudio uit het begin van de jaren zestig.

Annette Funicello zingt 'Pineapple Princess'. Ze vertelt dat haar vriendje tegen haar zegt dat hij van haar houdt en dat zij het liefste meisje is dat hij kent.

Na dagen van *unagi* en *wakame* zijn de uiterst Amerikaanse donuts erg verleidelijk. Ik kies een gevlochten variant met een standaardgat in het midden. Het heet *pon de ring*. Een jongeman, die zijn haar met gel tot een oranje noodsignaal heeft gemodelleerd, telt negenduizend, zeshonderd en één yen wisselgeld uit op een dienblad, dat hij mij met beide handen en een keurige buiging aanbiedt.

Door de luidsprekers zingt Annette vrolijk verder. Haar vriendje zingt zijn lied kennelijk vanuit een bananenboom en – wat een handige vent – vanaf zijn waterski's.

Er gebeurt iets bizars zodra de Japanners zich gaan bedienen van de westerse popcultuur. In onze oren klinkt het pieperig en kinderachtig, alsof de band versneld wordt afgedraaid. Ze nemen liedteksten serieus die nooit de bedoeling hadden ergens over te gaan. Zijn wij misschien even belachelijk als we op zoek gaan naar oosterse wijsheid?

Toen ik Tokio verliet, vertelde ik mijn vriendin Ayako dat ik aan *iaido* deed.

'Wat is dat?'

'Een oosterse vechtkunst. Met een zwaard.'

Ze trok een vies gezicht. 'Waarom?'

'Omdat het goed voor me is.'

Ze blijft vies kijken. 'Een vechtsport,' zegt ze.

Om de een of andere reden steekt dat. 'Gevechtskúnst,' houd ik vol. 'Dat is goed voor je concentratie. Het heeft te maken met zen.'

Nog steeds sceptisch geeft ze weliswaar toe dat veel vrouwen tijdens de Tweede Wereldoorlog het zwaard ter hand namen om zich te verdedigen. Maar Ayako praat liever over Vancouver. Ze wil praten over Michael Ondaatje. Ze is verliefd op Canada, zoals ik verliefd ben op... nou nee, ik ben niet verliefd op Japan, alleen maar op enkele aspecten ervan, die allemaal in het verleden liggen: *ukiyo-e*, iaido, antieke kimono's.

Inmiddels zijn we bij een nieuwe song aanbeland. De zanger, wiens naam mij ontglipt maar die mij met zijn honingzoete stemgeluid herinnert aan mijn puberjaren, deelt nu mee dat hij dol is op pindakaas, zowel pindakaas met harde stukjes als romige pindakaas.

Pon de ring smaakt lekker op zijn eigen zoete, plastic manier.

Al kauwend denk ik na over de jaren dat ik *kobudo* beoefen – een klassieke Japanse vechtkunst waarbij gebruikgemaakt wordt van wapens. Een heel lange tijd bungelde ik ergens onderaan, met een nederige witte band. Ik was niet erg dol op het krijgshaftige, op de strenge hiërarchie, knielend in de verlammende *seiza*-houding totdat mijn onderbenen tintelende, bijna gevoelloze stompjes waren geworden, overeind strompelend om te buigen voor een stel klootzakken van in de dertig zodra de zwarte banden binnenkwamen. Ik moest ijverig oefenen – *keiko, keiko, keiko* – om mij de eeuwenoude bewegingen eigen te maken. Maar ik ontdekte dat ik me fantastisch licht voelde zodra ik de *dojo* uitgeput verliet. Terwijl ik slagen op mijn slapen afweerde, dacht ik er niet over na hoeveel gevaar ik in werkelijkheid liep. Ik werkte mij naar boven via het spectrum aan banden – wit, geel, oranje, groen, blauw, bruin – meegelokt door een reeks wapens: de korte *ulysses*, de lange *bo*, de middellange *jo*, de wervelende *tompha*, de metalen vorken genaamd *sai*. Uiteindelijk verkreeg ik de zwarte band; ik was *Shodan* in een schitterende, oeroude kunst.

Dan pas kan een *budoka* de kunst bestuderen van het trekken van het zwaard. Het zwaard in kwestie is de lange, gebogen, handgesmede *katana*. Ik leerde *Nukitsuke* – het trekken –, *Kiritsuke* – de houw –, *Chiburi* – het symbolisch verwijderen van bloed van de kling –, en *Noto* – het terugplaatsen in de schede. Ik deed mijn uiterste best om de scherpe *kissaki* (punt) in de kleine *koikuchi* (opening) van de *saya* (heupschede) te plaatsen, zonder te kijken. Ik ontkwam niet aan associaties met het penisspel.

Vriendin: 'Wat zou Freud daarvan zeggen?'

KG: 'In Japan kennen ze geen Freud.'

Ik knielde neer in het gezelschap van juristen, een psychiater, een medewerker van VISA, een bekeerde prostituee, een beveiligingsbeambte, diverse middelbare scholieren en een vijfenzestigjarige Duitse vrouw met plankenkoorts die op zoek was naar de volmaakte techniek. Het is leuk om met een zwaard te zwaaien en het door de lucht te horen fluiten. Maar toen de *Senseis*, met hun witte haren en achtste dan, uit Japan kwamen, begreep ik hoe serieus 'de houwen', zoals wij ze noemen, moeten worden genomen. Niets verdiept de concentratie zo sterk als wanneer er een zwaard boven je hoofd hangt, tenzij het een stokoude Sensei is die beledigingen uitdeelt. Iaido maakte mij sterk. Het versterkte mijn concentratievermogen. Liefde en haat tegelijkertijd. Maar bovenal was ik gefascineerd door de innerlijke vrede die ik voelde tijdens het beoefenen van de zwaardkunst met zijn gewelddadige kern.

Daarom ben ik in Japan en sta ik op het punt op een trein te stappen die mij naar de uiterste zuidpunt zal brengen.

Het verhaal over Musashi is een romantisch verhaal. Zijn woorden zijn krachtig en ontroerend. Enkele dagen voor zijn dood schreef hij *De weg die men alleen moet gaan*, een poëtische richtlijn voor de krijger over zelfverloochening, die alom in dojo's wordt geciteerd.

'… beschouw uzelf oppervlakkig; beschouw de wereld
zeer diep.
Verlaat u op niets.
Wees niet hebzuchtig.
Betreur geen zaken uit uw persoonlijke leven.
Benijd een ander niet om zijn goede of kwade
eigenschappen.
Treur niet om afscheid op welke weg dan ook.
Smeed geen plannen voor lichamelijk genot.
Laat u niet verleiden tot het pad der liefde.
Hoewel dat met militaire uitrusting moeilijk zal zijn, wees
niet verzot op materiële zaken…'

Met andere woorden: bemin alleen uw zwaard.

Het zwaard was de ziel van de nobele samoerai; het was ook het symbool van het Japanse nationalisme – gehaat, gevreesd en gedemonstreerd in al zijn wreedheid in de eerste helft van de twintigste eeuw. Het dragen van een zwaard was vanaf 1945 bij wet verboden. Maar iaido is als kunst herboren. De subtiel gesmede kling, het fijnzinnig afgewerkte gevest, de gelakte schede: zwaarden zijn een gewild object voor verzamelaars. In het westen heeft de cultuur van het zwaard vele hartstochtelijke volgelingen. Er zijn iaidoclubs over de hele wereld, in Engeland, de Verenigde Staten, Europa, Mexico en Japan.

Je vraagt je af hoe dat komt.

In een interview dat op internet te vinden is, stelde de Canadees Ken Taylor die vraag aan Harumi Sensei, achtste dan *Iaido Kyoshi*.

KT: 'Dus de reden dat wij aan budo doen is om onze geest te scherpen, en niet om te leren hoe we andere mensen met een zwaard doormidden kunnen hakken?'

MH: 'Wij moeten allemaal leren dóén, niet alleen hakken. Om dieper te gaan moet de iaido-instelling in het leven van alledag worden toegepast. Daaruit volgt vrede in de wereld.'

KT: 'Dus *katsukin ken* en niet *satsujin ken*.

MK: 'Juist, het zwaard dat leven geeft, niet het zwaard dat leven neemt.'

Iedere Japans schoolkind kent Miyamoto Musashi, de zwaardheilige. Hij vocht zestig duels uit en verloor er niet één. Hij was krijger en behoorde tot de *buke*-klasse. Hij was geen echte samoerai, omdat de samoerai een meester had, en ook geen echte *ronin* of meesterloze samoerai, omdat hij nooit een meester gehad heeft. Hij was een *shugyosha*, oftewel een zwaardpelgrim. Het grootste deel van zijn leven reisde hij rond, zonder geld, zich met opzet blootstellend aan de kou en met slechts een handvol voorwerpen bij zich: naald en draad, veldfles en wapens. Shugyosha's leefden langs de weg, waar ze elkaar ontmoetten en met elkaar duelleerden om te zien wie de beste was. Soms werd een van beide strijders gedood; soms ook gaf een van hen op. De meeste zwaardkunstenaars hoopten de aandacht te trekken van een heer die hen in dienst zou nemen als samoerai, waarna ze voor de *dai-mio* zouden vechten en hun leven aan hem te danken hadden. Musashi nam geen genoegen met een dergelijke bevrijding van zijn gezwoeg en gesloof; hij was een vagebond die slechts gezelschap had van zijn eigen twee verlangens: alle duels winnen en de weg vinden door middel van zijn zwaard. Maar het is moeilijk om achter de ware feiten uit zijn leven te komen; wat we over hem weten is folklore en fictie, versterkt door de immens populaire historische roman van Eiji Yoshikawa, *Musashi.*

In 1584, toen Musashi geboren werd in Harima of in het dorp Miyamoto in Mimsaka, heerste er in het feodale Japan al honderdvijftigjaar lang een burgeroorlog. Zijn vader, zelf ook meester in de wapenkunst, ging van huis toen de jongen nog klein was. Er bestaat een vaag schilderij van de zoon, dat getiteld zou kunnen zijn *Portret van de zwaardmeester als jonge tiener* en waarop een reusachtig, woest wezen staat afgebeeld, met haar dat rechtovereind staat en waar de woede van afstraalt. Volgens de overlevering heeft Musashi zijn eerste man gedood op zijn dertiende en zijn tweede op zijn zestiende. Hij ontwikkelde een stijl die hij *Niten Nichiryu,* oftewel de Twee Hemelen zou noemen: hij gebruikte twee zwaarden, een *katana* en een *wakizashi*, en droeg nog drie andere zwaarden bij zich. Bijna als een beroepsbokser bepaalde hij zijn eigen route; hij reisde heel Japan door op zoek naar tegenstanders die hij kon verslaan en naar overwinningen waardoor zijn eigen status zou worden verhoogd. Misschien kreeg hij genoeg van het doden.

Musashi leefde tijdens de Kyoto-renaissance en het vermoeden bestaat dat hij andere grote denkers met artistieke fijngevoeligheid heeft gekend: Hon'ami Koetsu, de zwaardpoetser, kalligraaf en pottenbakker, en de abt Takuan Soho van de Daitokuji Zentempel in Kyoto. Behalve uitvinder van een uitmuntend soort sikkel, was Soho ook de schrijver van *De ontketende geest,* waarin een duidelijk verband wordt gelegd tussen de zwaardkunst en spiritualiteit. Het is niet duidelijk of het kwam door beïnvloeding door anderen, spijt of financiële noodzaak, maar toen Musashi ongeveer vijfenvijftig was, begon hij zich aan de kunsten te wijden. Hij hield zich bezig met no-theater en schilderkunst, en werd zo het levende bewijs van zijn eigen bewering: 'Als men één kunst beheerst, wil men in alle kunsten uitblinken.' De laatste vijf jaar van zijn leven bracht hij door in Kumamoto, waar de Hosokawa-clan vanachter reusachtige, onneembare vestingmuren de omgeving domineerde. De vagebond vond een huisje bij het kasteel en kreeg een baan als instructeur van de Hosokawa-krijgers. Zijn patroon Hosokawa Tadatoshi overleed echter, waardoor Musashi al zijn hoop verloor. Door verdriet overmand trok hij zich terug in een grot, waar hij een halfjaar (of twee jaar) lang *zazen* (zittende meditatie) beoefende en begon met het schrijven van *Gorin No Sho, De strategie van de Samoerai*.

Het boek werd in 1667, tweeëntwintig jaar na zijn dood, uitgegeven en is sindsdien in bijna alle wereldtalen leverbaar. Tweehonderd jaar later, tijdens de Edo-periode, verhaalde een kabuki-spel over Musashi's duel met Kojiro op het eiland Ganryushima. In de afgelopen eeuw speelde onze onverschrokken held de hoofdrol in kinderverhalen, films, filosofische teksten en handleidingen voor oosterse vechtkunsten.

Musashi's roem begon na de Tweede Wereldoorlog in Japan te verbleken, maar in de jaren tachtig werd *De strategie van de Samoerai* een bestseller in de Engelse vertaling. Wij westerlingen vernamen met een schok dat Japanse zakenlieden het gebruikten als een beknopte handleiding voor managers. (Dat was in de tijd dat de Japanse handel aan het opkomen was; tegenwoordig hoor je niet veel meer over de lectuur van Japanners.) Ik kreeg mijn eerste exemplaar van een man die in de gevangenis zat, waar het blijkbaar gretig wordt gelezen. De gevangenen lazen het vanwege de zen, niet vanwege de vechtkunst. Het boek dat oorspronkelijk is geschreven als handleiding voor het doden, kende een tweede leven als zelfhulpgids.

Tegenwoordig speelt Musashi de hoofdrol in een *manga* (stripboek), getiteld *Vagabond*, gebaseerd op de roman van Eiji Yoshikawa en enthousiast ontvangen door de *freeters* – een groep van ruim vier miljoen jonge Japanners, die ook wel bekend zijn als 'parasitaire singles'. Ze zijn goed opgeleid, onder de vijfendertig, ongehuwd of gescheiden, hebben tijdelijk werk en leven op de zakken van hun rijke ouders. Het verband met ronin is duidelijk: freeters zijn 'freelancers' – net als Musashi – die op zoek zijn naar hun droom in een vijandige wereld.

De berg Iwato komt in geen Japanse reisgids en op geen wandelkaart voor. Higo is een verouderde naam die niet meer gebruikt wordt. Het Japanse toeristenbureau in Toronto kan niets vinden. Maar Yusuke, een vriendelijke vertaler die in Toronto woont, besluit de uitdaging aan te nemen. Hij ontdekt dat de berg zich in de buurt van Kumamoto City moet bevinden. Hij ontdekt toevallig ook dat er sprake is van een hernieuwde belangstelling voor Musashi. De Japanse nationale televisie heeft een nieuwe historische dramaserie geproduceerd die op zondagavonden wordt uitgezonden. Dit programma wordt gevolgd door een live uitgezonden lijst van plaatsen in het hele land onder de titel 'Musashi sliep hier'.

Ik wissel wat airmiles in, koop een *Japan Rail Pass* en pak mijn wandelschoenen in. Ik hoor, maar besteed geen aandacht aan Yusuke's waarschuwing: 'Musashi was gewoon een heel kwaaie vent. Zijn vader mishandelde hem. Hij won zijn duels door middel van allerlei smerige trucjes. Sommige mensen denken dat hij in werkelijkheid twee personen was...' Weer zo'n mythe, denk ik bij mezelf.

Om 6.15 uur 's ochtends stap ik in de trein naar Nagasaki. Het land gaat vanaf de zee steil omhoog en verandert in kegelvormige heuvels die zijn afgebiesd met dennen. Het spiegelende water van de rijstvelden weerkaatst het licht verblindend als de zon plotseling door een somber wolkendek heen breekt. Soms ook wordt het landschap verlicht door ononderbroken rijen kersenbomen met hun bleke roze bloesem. Onze trein raast langs het varenachtige bamboe dat dicht tegen de bosrand aan groeit. Harige ballen in de bomen die op drie meter afstand langs mijn raam flitsen, blijken apen te zijn. Zo nu en dan wordt het bos onderbroken door witte zandstranden met palmbomen, en even plotseling zijn we weer ingesloten door het groen, terwijl we voortsnellen van Hakata naar Nagasaki. Ik steek Nagasaki per taxi over en neem een veerpont naar het meest zuidwestelijke puntje van de Japanse archipel, het eiland Amakusa. Ik heb besloten om Kumamoto via de achterdeur te benaderen, via de afgelegen visserseilanden aan de uiterste westkant van het land.

Niemand spreekt hier Engels. Mijn mogelijkheid tot communicatie wordt geheel en al bepaald door de creativiteit van de toehoorder. Helaas beschikt de vrouw achter de kassa van de veerpont daar niet over. Ze heeft geen flauw benul wat ik wil. 'Auto huren' begrijpt ze niet, evenmin als 'bus', hoewel er eentje bij haar voor de deur staat. Ook snapt ze 'hoe lang' en 'hoe ver' niet. Op miraculeuze wijze lukt het mij een kleine auto te huren en daar rijd ik mee weg, aan de linkerkant van de weg met het stuur rechts. De enige twee woorden Japans die ik in de dojo heb geleerd kan ik gebruiken om de richting te vragen: *migi* (rechts) en *hidari* (links). Samen met een nieuwgeleerd woord, *massudo* (rechtdoor), besluit ik mij op de kustweg te begeven. Een steenarend vliegt laag over mijn hoofd. Ik rijd langs aardappelveldjes, stadjes, oude rode *Torii*-bogen en christelijke heiligdommen. De vissersvrouwen staan voorovergebogen met hun mutsen op in de kwelders en trekken palingen uit de modder.

Het verhaal gaat dat Musashi hier gewond is geraakt tijdens het Shimabara Oproer van 1637. Het oproer was een tragische en ingrijpende gebeurtenis voor het hele land. De plattelandsbevolking, voorouders van de mensen door wie ik nu omringd word, en van wie er een aantal christen waren, woonden onder onverdraaglijke omstandigheden: ze kwamen bijna om van de honger door de zware belastingen en werden om de kleinste vergrijpen geroosterd in strooien regenjassen. Ze kwamen in opstand tegen de plaatselijke daimio, en de shoguns van Tokugawa grepen in en onderdrukten de opstand. Onder leiding van een heldhaftige jongen van dertien jaar die Amakusa Shiro heette, trokken de rebellen naar het kasteel van Hara. Na een lang beleg moesten ze zich overgeven, waarna ze werden afgeslacht. Nadat de shoguns hun macht weer hadden geconsolideerd, dwongen ze de plaatselijke daimio om zelfmoord te plegen, zorgden ze dat de overgebleven christenen en missionarissen verdwenen, en sloten ze het land voor een periode die zeker tweehonderd jaar zou duren, af voor de buitenwereld.

Uiteraard vocht Musashi aan de kant van de shoguns. Alleen in films (bijvoorbeeld Kurosawa's *The Seven Samurai*) huren arme boeren samoerai in om hen te beschermen. Hij was gelieerd aan de familie Ogasawara, bij wie zijn adoptiefzoon in de militie diende. Musashi was officieel hun adviseur, hij mengde zich in de strijd en raakte gewond door een grote steen die vanuit het kasteel geworpen werd.

Mijn hotel verwachtte een betere clientèle dan de arbeiders die er stamgast zijn. Ik heb sterk de indruk dat ik sinds het bestaan van het hotel de eerste blanke vrouwelijke gast ben. Maar het personeel is gewoon blij om mij te zien. De jongeman achter de receptie, een uitzonderlijk extravert type, legt mij uit hoe ik het openbare badhuis moet gebruiken; hij mimet als een echte Jim Carrey en roept: 'Slot!'

Ik ga naar het badhuis, drijf in het hete water en kijk uit over de haven. Het uitzicht wordt verpest door een fabriek, maar het bad en een goede schrobbeurt doen me goed: de pelgrim moet door de dode huid heen op zoek naar de zenuwuiteinden. Om te zien of op de plaats van handeling, op de zere plek, de sensatie te voelen is.

In de dojo had ik met een rode viltstift de omtrek van mijn denkbeeldige tegenstander op de spiegel getekend. Hij was even groot als ik. Ik had vaag zijn omtrek geschetst – schouders, taille, schenen – net als de mijne. Ik richtte de *kissaki* recht op zijn 'solar plexus' en stiet hem in zijn keel. Ik oefende de opwaartse houw, dwars door zijn zwevende rib heen. 'Hak hem in stukken als een kalkoen,' zei Sensei. 'Maar niet door het bot, het is gemakkelijker om door het gewricht heen te hakken.'

Soms zijn de metaforen minder esthetisch van aard: 'Trek het zwaard met dezelfde snelheid als waarmee je het in de schede stopt. Het is net als met vioolspelen: als je de hoek verandert, of de druk of de snelheid, dan krijg je een ander geluid.'

Het was onmogelijk om eraan te ontsnappen. Het geliefde zwaard – de *katana* – was de handhaver van het feodalisme, een wapen van onderdrukking, marteling, moord. De klassieke *kata* – zo elegant, zo bevredigend om toe te passen – zijn schitterende manieren om te doden. *Ikidure* om de twee vrienden te doden die aan weerszijden naast je lopen. *Sihogiri* om vier vijanden te elimineren die in één keer op je afkomen. In de handboeken wordt terloops melding gemaakt van het oefenen van zwaardbewegingen op lijken of op gevangenen. Die boeken zijn geïllustreerd met tekeningen van menselijke lichamen die gevierendeeld en in repen gesneden zijn, zoals de platen van doorgesneden runderen die vroeger bij de slager aan de muur hingen.

De volgende ochtend loop ik over het opgebroken betonnen pad naar het strand en vraag me af wat mij trekt in deze ongenaakbare kusten. De schoonheid van dit eiland is bedorven; het bamboe aan de bosrand is weggekapt; het aangespoelde afval ziet er smerig en enigszins beangstigend uit. Amakusa is een treurige plek, vol met ambitieuze plannen die stuk voor stuk mislukt zijn. Maar om de een of andere reden zijn er meer steenarenden dan ik ooit in mijn leven bij elkaar gezien heb. Op het strand zie ik dat er eentje zit te broeden op haar torennest. Ik vraag me af wat ik hier doe. Ik besluit dat ik als ik weer thuis ben nooit meer weg zal gaan, en dat ik voor eens en voor altijd zal afzweren om naar verre oorden af te reizen.

Busstation, Hondo City. Plaatselijke mensen zitten op plastic stoeltjes in keurige rijen als een schoolklas, midden in de wachtkamer. Ze kijken tv. Ze hebben geen haast, maar de bus arriveert stipt op tijd.

Tweeënhalf uur lang hotst en botst hij door de regen. Een oma heeft het hoofd van haar kleinkind in haar schoot en veegt zijn neus schoon met een netjes gestreken en gevouwen zakdoek. Schoolmeisjes met oranje haar en in uniform lachen op de gebruikelijke manier. Dit heet een mooie rit te zijn, over de vijf bruggen die de eilanden van Amakusa met elkaar verbinden, maar het uitzicht is wazig door de mist en de waterdruppels op de ruiten. Ik weet dat ik Kumamoto nader omdat het verwilderde gezicht van Musashi steeds vaker op affiches verschijnt. Hij is breed en kalend, en hij heeft in iedere hand een zwaard. Hij ziet er doodmoe en afgetobd uit, en hij wekt de indruk van een gedesillusioneerde man die niets meer met deze wereld te maken wil hebben.

Bij het eindpunt van de bus in Kumamoto, te midden van de algehele viezigheid van een moderne Japanse stad, wijzen twee geüniformeerde mannen mij op een taxi. Ik word afgezet bij het Ark Hotel, dat pal tegenover het kasteel van Kumamoto ligt met zijn schitterende, schuin aflopende, grijze muren. Het kasteel was verwoest tijdens het beleg van 1877, maar is herbouwd op zijn Japans, dat wil zeggen tot in detail gelijk aan het origineel. Vlak onder mijn raam staat het huis waarin Musashi gewoond heeft.

Maar het andere monument in Kumamoto is een enorm, octopusachtig winkelcentrum dat bijna het hele stadscentrum omvat. Het heeft eindeloze overdekte gangen met winkels die tweedehands Amerikaanse kleren en Zwitsers gebak verkopen. In dit winkelcentrum, bij de McDonald's, heb ik afgesproken met mijn gids, Suki. Haar Engels is uitstekend; ze heeft een jaar in San Antonio, Texas gewoond. Ze is tweeëndertig en woont weer bij haar ouders en dat bevalt haar prima, zegt ze, omdat ze niets hoeft te doen. Ik vraag me af of ze ook een freeter is, maar ik denk het niet; ze weet helemaal niets over Musashi en ze werkt bij de overheid. Ze is niet bepaald wat ik me bij mijn gids had voorgesteld, maar ik beantwoord waarschijnlijk ook niet aan haar beeld van de ideale toerist.

SUKI: 'Hou je van rauwe vis?'

KG: 'Ja. Jij niet?'

SUKI: 'Nee.'

KG: 'Wat at je in San Antonio? Biefstuk?'

SUKI: 'Nee. De biefstukken waren veel te groot en ze smaakten naar bloed. Ik hou niet van bloed.'

KG: 'Waar hou je dan van?'

SUKI: 'Van spaghetti.'

Op zaterdag bezoeken we het westelijke graf van Musashi. Er staat een standbeeld van hem en er is een plaquette op bevestigd met een inscriptie in klassiek Japans uit *The Way of Walking Alone*, die Suki niet kan lezen. Het is een stille, vredige plek met een aantal poelen die de 'geest als water' in herinnering brengen.

Het oostelijke graf is minder veelbelovend. Op gevaarlijk korte afstand rijden vrachtwagens met aarde af en aan. Suki heeft de grootste moeite om de enorme auto van haar moeder te parkeren, en we moeten over modderige geulen stappen. Dit gedenkteken is geplaatst door Musashi's trouwe volgelingen, de gebroeders Tereao. Suki vertelt dat volgens de overlevering het haar en de helm van Musashi hier begraven liggen. Ik vraag Suki waarom hij twee graven heeft, maar dat weet ze niet. Ik moet denken aan Yusuke die in Toronto zat te lachen. Misschien omdat hij twee mannen was.

Ik besluit alleen het Kumamoto Museum voor Kunst te bezoeken. Er staan kamerschermen uitgestald die ongeveer vierhonderd jaar geleden, in de tijd van Musashi, beschilderd zijn. Het zijn prachtige landschappen vol smachtend verlangen en willoosheid. Samoerai op stevige, mollige paarden stampen om elkaar heen. Ze dragen gevlochten wapenrustingen; de paarden zijn eveneens voorzien van een harnas met rode pluimen en kwasten. Ze vormen een kluit van stoom en vuur in de bleke bergvallei, pauzerend tijdens hun reis, met de twee zwaarden als een grote x uit hun linkerzijde stekend, onder de zacht neerdalende kersenbloesem die de korte duur van het leven symboliseert. Op de helling van een heuvel zit een vrouw op een veranda geknield te wachten. Het is allemaal erg romantisch.

Maar in de volgende zaal schetst Chemei Hamada, geboren in 1917, een veel bloederiger beeld van de krijgers. Zijn *Elegie voor een nieuwe dienstplichtige* toont lucifermannetjes met dikke buiken in een lange grafstoet, verkrachte vrouwen en een gehangene boven een schavot.

In het park passeer ik een groep schoolmeisjes die onhandig lopen te oefenen met houten zwaarden. In het Kunstencentrum is een zwaardententoonstelling. Het zijn prachtig glimmende, gebogen klingen in zwartgelakte gevesten, uitgespreid op kleine, met satijn beklede altaren. Er wordt een film vertoond waarin een *katanatogi*, een zwaardenpolijster, die tot het nationale erfgoed is verheven, eerbiedig voor zijn slijpsteen zit. Ik koop een pakje ansichtkaarten van Musashi, met afbeeldingen van zijn hoofd, zijn schilderijen en standbeelden.

In het Ark Hotel bestel ik een groot sushi-diner en kijk ik televisie. De man die de rol van Musashi speelt is een *kabuki*-acteur. Ik versta er geen woord van, maar ik vind het schitterend. In het winkelcentrum klinkt ook luid gebrul: een live rockconcert op podia die midden in het winkelcentrum zijn opgesteld.

Als ik naar de Reigan-grot ga, is het geen kwestie van 'de berg Iwato beklimmen' zoals Musashi dat deed. De 'berg' is een grote heuvel buiten Kumamoto, die aan de busroute ligt. Ik besluit echter een taxi te nemen en ik vraag de taxichauffeur om mij af te zetten op een plaats vanwaar ik de laatste paar honderd meter kan lopen.

En zo kom ik bij het poortgebouw waar een in zwart habijt geklede monnik het entreegeld int. Een stapel stenen van dertien lagen geeft aan dat de ontstaansgeschiedenis van het klooster teruggaat tot de veertiende eeuw. Het was al een heilige plaats lang voordat Musashi op het toneel verscheen. Op de met mos bedekte helling staan vijfhonderd half omgevallen, verweerde stenen boeddhakoppen. Ieder gezicht heeft een andere uitdrukking.

Er wordt beweerd dat iedere bezoeker zijn eigen gezicht kan herkennen. Ik zoek naar het mijne, maar stel vast dat het waarschijnlijk naar beneden gerold is, en door mos overwoekerd. Als je iets hoger klimt en tussen de heuvels door kijkt, kun je iedere indringer zien die het klooster vanaf de Ariake-zee nadert.

Vlak voor mij zie ik de grot waarvoor ik helemaal hiernaartoe gekomen ben. Het is een echte grot, diep en donker. Er staat een schutting voor die versierd is met gedenkplaten en papieren strikken. En waar souvenirs, waaronder flesjes sake, worden verkocht. Ik ga mee naar binnen en hoor de woorden in mijn hoofd. 'Ik beklom de Berg Iwato in de provincie Higo op het eiland Kyushu, boog in diepe eerbied voor de hemelen, aanbad Kannon en stond oog in oog met de Boeddha.'

Hier bracht Musashi zijn negentig dagen of zes maanden – afhankelijk van welke versie men leest – door met zazen. Hier begon hij aan het boek over hoe te leven en hoe te sterven, dat miljoenen mensen heeft geïnspireerd. De boeddha waarmee hij oog in oog stond is opgeborgen: niemand mag hem zien.

Ik trek mij terug op de heuvel en adem de met bloesems geparfumeerde zeelucht in. Deze eenvoudige, geurige plek is een heiligdom voor de grootste krijger die de Japanse geschiedenis heeft voortgebracht. Of misschien is het ook alleen maar een heiligdom voor een boek.

De eerste vier van de vijf ringen uit het boek duiden op de elementen: aarde voor de basis; water voor de heldere geest; vuur voor de strijd; wind voor persoonlijke stijl en klasse. Het boek staat vol met esoterische instructies, toe te passen in de strijd. 'Als u oog in oog staat met uw tegenstander en u uw zwaarden gereed hebt, is het van het grootste belang dat u zich voortdurend richt op het doorboren van zijn gezicht met de punt van uw zwaard.' Of, even verderop: 'Oefen van tijd tot tijd met het bijeendrijven en vervolgens opjagen van uw tegenstanders.' Vele hoofdstukken eindigen met een schitterende, dichterlijke uitvlucht. 'Dit is mondeling overgeleverd.' Bepaalde zinsneden lijken geconstrueerd als een geheugensteuntje voor de geheimen van zijn kunst, die ons eraan moeten herinneren dat het boek niet geschreven is om kennis te verspreiden maar juist om die beperkt te houden tot een bepaalde school.

En toch – en dat is het wonderbaarlijke – zijn bepaalde delen van het boek griezelig modern. 'De diverse gevechtskunsten zijn op maat gemaakt om verhandeld te worden, zoals men zichzelf ook kan zien als een voorwerp met marktwaarde.' Degene doden die boven je op de ladder staat, is een manier van leven, een volgende stap in je carrière. 'Men wenst zichzelf bekendheid te geven en zijn positie te verbeteren...' Je voelt hoe de eenzame artiest zich een weg houwt door de samenleving. Tussen de informatie over de diverse zwaarden door, wordt algemene informatie verstrekt die kan worden toegepast op alles wat met tennis, golf en zelfs carrièreplanning te maken heeft. 'Maak een duidelijk onderscheid tussen het ritme van succes en het ritme van mislukking.' Het opvallendst is hoe Musashi de geest voor zich ziet, en zelfs instructies geeft over waar de menselijke geest zich zou moeten bevinden: niet in het vijandige zwaard, niet in de ogen van je vijand, niet in je eigen zwaard; eigenlijk helemaal nergens. De geest moet overal zijn, flexibel zijn en nergens voor stoppen. '... En als men zijn gehele lichaam vrijelijk kan bewegen, zal men anderen met dat lichaam kunnen verslaan. En als de geest getraind wordt op de Manier, dan zal men anderen verslaan met zijn geest.'

Uiteindelijk staat de geest gelijk aan het zwaard. Een volmaakte, vloeiende, fluitende houw kan het lichaam scheiden van de ziel, maar als je zo krachtig geconcentreerd bent als een samoerai, hoef je niet te doden. Anderen zullen terugdeinzen en zelf de dood zoeken.

Het vijfde hoofdstuk besteedt aandacht aan het boeddhistische begrip van de leegheid. Ik moet toegeven dat ik dat moeilijk te begrijpen vind. 'De kern van de Leegheid is de afwezigheid van alles wat een vorm heeft en de gave om daar ook niets van te weten... De ware krijger polijst de beide kernen van zijn hart en van zijn geest, en scherpt de twee ogen van brede waarneming en geconcentreerde blik. Zijn blik is niet in het minst vertroebeld, maar hij verdrijft juist de wolken der verwarring. Dit nu is de ware Leegheid.'

Hoewel ik er niets van begrijp, vind ik het proza wel verheffend. Als ik het opnieuw lees, ervaar ik bijna de fysieke sensatie van vrijheid en lichtheid die ik verwierf bij het oefenen van het klassieke houwen met het zwaard. Woorden kunnen ook dat effect hebben.

Misschien is dit mijn beloning. Misschien is dit wat ik zoek. Ik weet het niet – ik realiseer me dat ik niet weet wat ik hier verwacht had, ik herken het ogenblik niet. Ik loop de berg af en kom terecht in een jeugdherberg. Er spelen kinderen en aan de wanden hangen ingelijste vlinders achter glas en kastjes met opgezette vogels. Ik wandel naar de bushalte en onderweg schrik ik een blauwe reiger op die in een afwateringssloot staat.

De pelgrimstocht eindigde daar niet. De pelgrimstocht eindigde bij de reliekschrijn. Ik heb inmiddels volgelingen aangetrokken: volgens de ware Japanse traditie ben ik een groep geworden, die naast mij bestaat uit Suki, een rondreizende Amerikaanse journalist en een studente uit New York die Stacy heet en als extra tolk fungeert.

Het Shimada Kunstmuseum herbergt een privécollectie aan voorwerpen die te maken hebben met Musashi, en is gevestigd in het prachtige oude huis van de familie Shimada in het oude centrum van Kumamoto. Een oudere heer begroet ons bij de deur. Hij is klein van stuk, net als de meeste Japanners van zijn leeftijd, omdat hij voor en tijdens de oorlog weinig te eten heeft gehad. Kuragano-san is een Musashi-deskundige. Hij vertelt hoe de stichter van het museum, Matomi Shimada, die in de jaren twintig een welvarend systeemanalist was, al deze voorwerpen verzameld heeft. Zijn zoon was de *kendo*-leraar van Kuragano-san. Tegen het einde van de oorlog moest de leraar in het leger.

'Hij wist dat we aan de verliezende hand waren. Hij zei dat ik hard moest studeren, vooral Engels.'

Ondanks deze aansporing spreekt hij geen Engels. Hij gaat bij een glazen vitrine staan en spreekt Japans. Suki vertaalt in mijn linkeroor en Stacy in mijn rechter.

Dit zijn de waardevolste bezittingen van het museum: originele kunstvoorwerpen van de hand van Musashi. Zoals zoveel vagebonden hield Musashi ervan vogels te schilderen. De klauwier zit op het uiterste puntje van een opwaarts gebogen tak, snavel en ogen zien er dodelijk uit. De tak is een volle, gebogen *kesa* (diagonaal) die van linksonder naar rechtsboven loopt. Het lijkt of het papier doormidden is gesneden.

Het is een uiterst agressieve vogel, legt Kuragano-san uit. 'Hij leeft niet in zwermen.'

Evenmin als de eenzame samoerai.

Hier bevindt zich ook het originele, inmiddels vertrouwde portret van de zwaardmeester op leeftijd; het is geen zelfportret, zoals ik verwacht had, maar geschilderd door een onbekende kunstenaar uit Kumamoto. Musashi staat erop afgebeeld in de yin-yang-positie, klaar om een grote groep tegenstanders te lijf te gaan. Kuragano-san vertelt dat Musashi linkshandig was. (Volgens William Scott Wilson, vertaler en Musashi-kenner, was hij zowel links- als rechtshandig.) Hij zegt dat hij zeventien bedienden had.

Ik vraag om uitleg. Hij was een arme pelgrim. Hij verfoeide persoonlijke bezittingen. Hij had geen bedienden. Waren het geen leerlingen?

Hij had veel meer leerlingen. Die zeventien waren slechts zijn bedienden. (Zoals de behulpzame William Wilson mij later zou uitleggen, waren het mannen die hem overal volgden, zijn paard leidden en zijn bezittingen droegen die hij als statussymbool van de Hosokawa's gekregen had.) Begrippen worden onduidelijk als ze vertaald worden.

Spontaan komen de onzinteksten weer naar boven, over hoe Annette en haar vriendje op een dag zullen trouwen en zij zijn ananaskoningin zal zijn.

Er zijn exemplaren aanwezig van het houten *bokken* (oefenzwaard) dat Musashi gebruikte bij zijn training (dunner dan de modellen die ik gebruikte), en een *tsuba* (een handbeschermer voor het zwaard) die hij voor zichzelf ontwierp. Er staat een insigne op van twee zeekomkommers. Dat lijkt een vreemd symbool om mee ten strijde te trekken; het zijn nogal dikke, slijmerige wezens, lang en vormeloos. De zeekomkommer staat echter bekend als afrodisiacum, wat vreemd is voor een man wiens advies het was niet aan seks te doen. Misschien was het een verwijzing naar mannelijke kracht in algemene zin.

Er hangt een houtsnede van het kabuki-spel over het incident in Ganryushima. Er is opnieuw een verschil in interpretatie. Kuragano-san legt het als volgt uit: terwijl Musashi over de rivier geroeid werd om tegen Kojiro te vechten op het kleine rotsachtige eiland, greep hij een roeispaan en vormde die om tot een zwaard. Kojiro gebruikte een erg lang zwaard, genaamd de Droogpaal. Maar Musashi's roeispaan was langer. Bij aankomst stak Musashi simpelweg zijn wapen uit, sloeg zijn tegenstander op het hoofd en doodde hem in één klap.

'Hij ging erg instinctief te werk,' zei Kuragano-san. 'Hij voelde aan wat zijn tegenstander van plan was.'

Ik nam dit verhaal als voorbeeld van de uitdrukking dat de eerste klap een daalder waard is. Met een goede voorbereiding is een prachtig zwaard niet eens nodig, men kan van alles gebruiken. Zoals de handboeken beweren, is de geest het zwaard van geen zwaard. Maar in dit geval lag het anders. Musashi had een beter wapen gekozen.

Is je tegenstander op zijn kop slaan geen smerige truc?

Nee, zegt Kuragano-san. Het toont aan dat Musashi kon improviseren; hij was iemand die zich gemakkelijk aanpaste aan de omstandigheden en zich verloste van de rigide stijlen en scholen die aan hem voorafgingen.

Staande voor een vitrine waarin zich tientallen vertalingen van *Go Rin No Sho* bevinden, citeert Kuragano-san enkele westerse visies op Musashi. Ik vrees dat ik heel wat mis.

KURAGANO: 'Kent U Goldsworthy?' [lange verhandeling in het Japans]

TOLK: 'Goldsworthy schreef: "Als Musashi 's avonds een god ontmoette, zou hij gezegd hebben: 'Geef mij alstublieft de kracht die sterker is dan goddelijke kracht.' "'

KURAGANO: 'Kent u Wordsworth?' [gevolgd door opmerkingen in het Japans]

TOLK: 'Wordsworth schreef: "Als men verder wil, moet men afscheid nemen van iemand; de scheiding is altijd bij u."'

KURAGANO: [lange verhandeling in het Japans]

TOLK: 'Hij verwijst naar de oorlog in Irak.'

Eindelijk zijn we aanbeland bij de vijf tekstrollen van *Go Rin No Sho*.

'Zijn dit de originelen?' vraag ik.

Mijn gids dient de genadeslag toe: 'Het originele manuscript bestaat niet.'

'Pardon?' vraag ik.

'Musashi heeft het boek nooit afgemaakt,' zegt Kuragano-san.

Er breekt verwarring uit onder ons. 'Dit is wel erg heftig, niet?' zegt Stacy.

'Sorry, maar weet u dat absoluut zeker?'

Kuragano-san vervolgt zijn uitleg. Hij is overtuigd van zijn zaak. Pas in 1667, tweeëntwintig jaar na Musashi's dood in 1645, werd het boek afgemaakt. Dit werd gedaan door de gebroeders Tereao en later door twee boeddhistische monniken. De tekstrollen werden geschonken aan de familie Hosokawa, die ze nog steeds in bezit heeft. 'Het werk is hier bekend als het Hosokawa-familieboek,' zegt Kuragano-san.

Ik ben stomverbaasd. Aanvankelijk geloof ik niet dat het waar kan zijn. Maar na enig nadenken lijkt het wel te kloppen. Deze interpretatie van het auteurschap verklaart het hoofdstuk over 'Leegheid', en ook waarom de zwaardvechter op den duur steeds religieuzer ging praten.

Kuragano-san is een voorbeeldige student, en overhandigt mij dus een keurig getypte samenvatting op drie A4'tjes van *De strategie van de Samoerai*. Het is geschreven in een Engels waarop iedere docent trots zou zijn. Hij schrijft dat het boek 'als een heilige bijbel' voor hem is, dat hij er op verschillende momenten in zijn leven naar gegrepen heeft en ervan overtuigd is dat de enige juiste manier van leven het volgen van dit boek is.

Hij schrijft dat Musashi de 'ideale strijder' is in oorlogstijd. De aantrekkingskracht van Musashi voor de Japanners is zijn ascetische en stoïcijnse manier van leven. Maar omdat de Japanners na de oorlog in welvaart kwamen te leven zijn ze hun gevoel voor zelfdiscipline, loyaliteit en hard werken verloren. 'Aangezien we ons verleden verloren hebben', moeten de Japanners 'buitenlandse lezers dankbaar zijn' omdat ze de herinnering aan Musashi in leven hebben gehouden. Hij probeert de huidige opleving uit te leggen, die voor zijn gevoel al veel eerder had moeten beginnen. 'Het importeren van de toegenomen buitenlandse belangstelling voor Musashi geeft ons de mogelijkheid onze spirituele armoede op te lossen terwijl wij in een geestelijke depressie leven.'

Ik probeer dit alles in overeenstemming te brengen met het feit dat Musashi *Go Rin No Sho* niet echt geschreven heeft, of dat het, in het gunstigste geval, een onvoltooid manuscript is waaraan een paar monniken hebben zitten knoeien.

En er staan mij nog meer schokken te wachten.

Tijdens een lunch van noedels aan de eenvoudige buitentafel, helpt Kuragano-san mij uit de droom wat betreft het idee dat Musashi bekend zou zijn geweest met de grote meesters van de Kyoto-renaissance. 'Die kan hij nooit ontmoet hebben. Het klassenverschil was te groot,' zegt hij.

Ik pak geld uit mijn tas om de lunch te betalen. Ik haal de ansichtkaarten van Musashi tevoorschijn en bekijk ze behoedzaam: hij raakt verkreukeld. Op zijn mantel zit een veeg lippenstift, alsof hij een beroemde filmster is. (Als ik weer thuis ben, zal ik William Wilson, mijn geestelijk leider, vragen wat ik nu moet geloven. Wilson zal mij zeggen dat het idee dat monniken het boek voltooid hebben, 'gewoon gelul' is. Hij zal eraan toevoegen dat er geen enkel bewijs bestaat dat die priesters het laatste hoofdstuk hebben geschreven, en dat het verschil met de rest van het boek verklaard wordt door de moeilijkheid om het boeddhistische denken in welke taal dan ook weer te geven. Hij zal ook de bewering weerleggen dat klasse ook maar enige belemmering zou zijn geweest voor de zwaardheilige. Tussen kunstenaars, dichters en 'theemannen' [meesters van de theeceremonie], zal hij vol overtuiging beweren, bestonden geen klassenverschillen. Een daimio kon hetzelfde theehuis betreden als iemand van de laagste klasse. Maar dat weet ik op dat moment nog niet. Vooralsnog ben ik in de war.)

Bij hoge uitzondering is mij een onderhoud toegestaan met de heer Shinsuke Shimada, bewaarder van de relieken uit de derde generatie, een man met zilvergrijs haar en een gevoelige, gereserveerde oogopslag. Hij zat op dezelfde school als Kuragano-san, maar is jonger. Hij is ook een bijzonder verschijnsel in dit land, een man van weinig woorden. Hij zit rustig en stijlvol mijn vragen af te wachten. We zijn inmiddels met zijn zessen. Ineens dringt het tot mij door dat hoe dichter ik bij de bron kom, des te groter mijn gevolg wordt en des te verder ik van iets als de waarheid kom af te staan. Zelfs de bedoeling van mijn eigen vragen ontgaat mij zo nu en dan.

Ik begin met een citaat van Kenzaburo Oë, de winnaar van de Nobelprijs voor literatuur uit het naoorlogse Japan. '"Verlossing is slechts te vinden in een mythische versie van het verleden." Wilt u daarop reageren?'

ss (op scherpe toon): 'Musashi is geen mythe. Vierhonderd jaar is niet lang. Hij is realistisch en staat in direct verband met ons; zijn wortels liggen hier.'

Dan:

KG: 'Heeft uw grootvader deze collectie samengesteld om Musashi te eren als meester van de zwaardkunst, als denker of als kunstenaar?'

ss: 'Musashi was een genie omdat hij verschillende manieren kende waarop hij zichzelf kon uitdrukken.'

Ik besluit ter zake te komen.

KG: 'Kunt u de tweedeling verklaren tussen de krijger en de barmhartige boeddhist?'
ss (negeert de vraag): 'Ziet u een vreedzaam aspect in zijn werk? Dat bestaat niet. Hij heeft veel mensen gedood. Dat is de [hij maakt een gebaar met zijn hand]...'
SUKI: ' ... basis?'
KG: '... essentie?'
ss (mompelt iets afwijzends)
STACY: 'Hij zegt dat het misschien geen echte tweedeling is.'

Ik weiger mijn nederlaag te erkennen en ga dapper verder.

KG: 'Is er geen paradox tussen het doden en het spirituele aspect?'
ss: 'Nee. Musashi doodde mensen. Hij heeft *heiho* (de kunst van het oorlog voeren) op een hoger niveau gebracht, op het niveau van de machtsstructuur. Maar vergis je niet, door het vele doden trok hij de aandacht van de mensen.'

Ik besef de waarheid van die bewering. Musashi is de kern van iedere avonturenfilm, de thriller, de bandiet die ons verrukt met zijn wapenfeiten. Hij doodt door houwen van zijn zwaard maar zelf is hij gescheiden van het echte leven. Hij leeft het leven van de geest, is alleen gericht op de overwinning, verzaakt alle vormen van zinnelijk genot, en wordt op die manier een soort offerdier. Vandaar de 'heilige bijbel' en 'de weg'.

'Musashi ging op een oorlogszuchtige pelgrimage op zoek naar tegenstanders. Hoe is het mogelijk om dit zinvol of zelfs positief te vinden?' vraag ik.

ss: 'Als je oog in oog staat met krijgers, dan dood je ze. Maar als je oog in oog staat met anderen, dan wil je...' (hij maakt een handgebaar) [zijn Japans slaat de tolken met stomheid]
suki: 'Dan wil je...'
stacy: 'Dan wil je...'
suki: 'Zoiets als...'
stacy: 'Je begrip voor hen verdiepen.'
ss: 'Ja.' (lacht als een sfinx)

Ik realiseer me nu dat meneer Shimada Engels spreekt. Ik realiseer me ook hoe gemakkelijk het zwaard van metafoor werkelijkheid kan worden. Dat maakt het allemaal zo angstaanjagend. Ik bedank Shimada-san uitvoerig. 'Ik heb mijn antwoord gevonden,' zeg ik. Musashi wilde zijn stijl vervolmaken. Doden was een bijproduct.

Wij staan op het punt afscheid te nemen, in de oude tuin onder de hoge bomen, ontspannen omdat we elkaar niet meer hoeven te begrijpen. Achterin staat een klein zwart huisje, het oude huis waar de familie woonde, voordat het grote huis werd gebouwd. Het is een prachtige lentedag en wij baden in licht van oud goud. Ik denk niet langer dat ik ook maar iets weet. Misschien kan ik vanaf dit punt een heel klein beetje verdergaan. De kunst van het heldendom suggereert dat geweld een werktuig van verandering op zich kan zijn. Wij voelen ons aangetrokken tot moordenaars vanwege de gewelddadigheid in onszelf. Het is niet hun woede die het gevaar vormt, het is onze eigen woede. Het is niet de woede van de tegenstander die we proberen te beteugelen, maar onze eigen woede.

Kuragano-san neemt het woord weer. Volgens mij sprak hij Engels, maar misschien ook niet.

'Tijdens de oorlog hadden we weinig te eten. Maar de familie Shimada was welvarend, dus voordat de vader ten oorlog trok, gaven ze een feest. Ik weet het nog. Ik was uitgenodigd. Hij nam afscheid.'

Ik zie die bijeenkomst bijna voor me; al die mannen en jongens die op het punt staan hun vader en leraar te verliezen. Maar ze zijn niet boos. Ze zijn bedroefd.

Vandaag heeft Kuragano-san respect betoond aan een stoïcijnse en onvoorwaardelijke meester die ten oorlog trok terwijl hij wist dat de oorlog al verloren was. Hij liet zijn leerlingen en zonen achter en zou nooit meer terugkeren. 'Zonder hem zou ik in het tuchthuis terecht zijn gekomen,' zegt de oude man.

Shinsuke Shimada staat in gedachten verzonken. Hij was pas vier jaar toen zijn vader vertrok. Hij kan zich de man niet herinneren. Hij glimlacht bedroefd naar mij.

'Hij was ook zwaardvechter.'

Bittere pil

VIJAY NAMBISAN

Vijay Nambisan is als journalist werkzaam geweest in vele delen van India en hij schrijft voor diverse tijdschriften. Met zijn gedicht 'Madras Central' won hij in 1988 de eerste All-India Poetry Competition. Sindsdien publiceert hij weinig gedichten, maar in 1992 verscheen het obligate dunne bundeltje. Zijn huwelijk met romanschrijfster en chirurg Kavery Nambisan en hun verhuizing daarna naar een stadje in Bihar, waar zij werkzaam was als arts in een katholiek missieziekenhuis, leidde tot de publicatie in 2000 van het journalistieke werk *Bihar Is in the Eye of the Beholder*, dat gunstig werd ontvangen door de critici. Zijn essay 'Language as an Ethic' verscheen in 2003 in de Penguin-reeks 'Interrogating India'. Al zijn boeken verschijnen bij Viking/Penguin India. De Nambisans wonen in het zuiden van India, in het plantagegebied van Coorg (Kodagu).

MAART 1986

Om zes uur wakker geschrokken door herrie op straat. Trui aan,
naar het balkon. Chaos. Tweehonderd naakte mannen – in hun
blote kont, besmeurd met as, aaneengeklit haar, baarden – rennen op z'n Indiaas (hoe anders?) over straat. Schreeuwen: 'Har
Har Mahadev.' Mensen kijken, gereserveerd. Sadhoes dragen
zwaarden, speren, drietanden… 'Dat zijn de Naga's,' zegt Amit.
Militante gelovigen, al eeuwenlang huurlingen, asceten. Op weg
naar de Ganges om te baden. Niet vaak in het openbaar gezien.
Nu uit hun grotten gekropen. Grote gebeurtenis. Amit en Dhammika nemen foto's, maar onopvallend. Willen geen problemen.
Dit is je reinste hindoeïsme, voor de Poort van God.

Haridwar. Poort van Hari, alias Vishnu. Ook gespeld als
Hardwar; Hara is Mahadeva, Śiva. De Ganges valt vanaf zijn
lokken, stroomt naar de vlakten van de Himalaya. Himalaya
in de verte, afstandelijk. Gereserveerd. Heel erg oude stad.
Veel beroemde tempels. Elke sekte van naam heeft hier *ash-
ram* (kluis). Slaperig stadje, vol met vriendelijk volk. Loge-
ren zelf in een *dharamsala*, een gastenverblijf. Klein stadje,
gehucht eigenlijk. 'Welterusten, lieve prins…' Welterusten,

maar niet heus, dankzij de Naga's. Kleinsteedse sfeer. Behalve dat eens in de twaalf jaar Kumbh Mela langskomt. We zijn vroeg. Niet zo dom om pas op 'de dag zelf' te komen. Massa's mensen, miljoenen, worden vertrapt of beroofd. Waardevolle fotoapparatuur meteen verdwenen. Volgende dag kop in de krant: 'Journalisten gelyncht door beledigde pelgrims. Weigerden lens te bedekken in aanwezigheid van wijze.' Maar sterven vlak bij Ganges: meteen naar de hemel. Wacht liever nog paar jaartjes.

Al massa's mensen. Kleuren, geluiden, geuren. Lucht vol van gebed en bellengerinkel. Alles met zweem van saffraan. Nog twee weken voor veelbelovende dag, al miljoenen pelgrims hier. Honderden, duizenden sadhoes. Zitten 's avonds rond het kampvuur. Saffraan licht op saffraankleurig doek. Pretmakerij. Roken allemaal hasj. Verzamel moed om wat te vragen. Lege blikken. Gefriemel aan drietanden. Wegwezen. Stadse fratsen niet gewenst hier, alleen Dhammika valt niet op. Slanke Sri Lankaan met amandelvormige ogen, olijfkleurige huid, lang krulhaar en baard van twee dagen. Maar wel met spijkerbroek: kater van gouden tijd van Hardwar, twintig jaar geleden. Zie meer katers. Ooit witte sadhoe, samengeklit geel haar, orthodox smerige kleren; vrouw of minnares idem; drie jaar oud kind idem, spelend in het zand. Beetje sadhoe is celibatair. Houdt hof. Inlandse sadhoes allemaal in een kring. Hebben geld nodig. Of Afghaanse hasj. Weerzinwekkend. Niet eerlijk voor dat kind. Geen keuzevrijheid; geen onderwijs; groeit vanzelf oedipaal op zonder het te beseffen.

Twaalf dagen geleden liep alles te hoop in Har-ki-Pauri. 'Hari's Pad', smal pad naar *ghat*, oevertrap die naar bad leidt. Lucht stijf van godsvrucht, met een mes te snijden. Enige manier om bij rivier te komen. Diepgelovige mensen: 'Heer, laat mijn winst zich dit jaar verdubbelen, dan noem ik mijn zoon naar U...' 'Godin, laat mijn broer niet alles verkopen terwijl ik mij hier aan uw voeten werp...' 'Heer, laat de zoon van mijn oom, die dit jaar trouwt, alleen maar dochters krijgen...' Massa mannen leidt leven vol van stille wanhoop. Maar nu leidt massa mannen ons tot stille wanhoop. 'Beetje sneller, stomme buffel daar vooraan! Krishna Krishna Krishna Krishna... Trap niet steeds op mijn hielen, stommeling!' Maar geen ontsnapping mogelijk als je eenmaal de weg van de *dharma* (deugdzaamheid) hebt gekozen.

Het leger legt zes pontonbruggen over de Ganges. Pelgrims blijven op dezelfde oever. Te veel mensen. Te veel rolletjes film. Wil liever uit de buurt van journalisten blijven. Pas halfjaar in journalistiek, weet al dat alle fotografen analfabeet zijn. Hun onderschriften uitspellen. Tel tot twintig, moet gaan zitten en schoenen uittrekken. Ga alleen naar bushalte, neem bus – omgebouwde Dodge – naar Rishikesh. Heilige stad. Stokoud. Net als de Dodge. Ouwe rammelkast. Enige openbaar vervoer hier. Enig inheems wild dat ik hier gezien heb. Snuift en reutelt, blaast stoom af. Steile helling aan één kant, ravijn aan de andere. Rivier honderd meter onder ons. Weg bijna meter breed. Chauffeur gaapt, nadert tegemoetkomende Dodge; vrolijke begroeting. Denk aan treurende familieleden. Rishikesh vreedzaam oord. Ganges lieflijk, woest, als kwikzilver. Śiva's golvende haar. Nevel van waterdruppels, geest van de bergen. Loop naar Lakshman Jhula, Lakshmans Schommel. Moet ooit touwbrug zijn geweest. Nu één staaldraad. Rivier onder je brengt je voeten uit evenwicht. Steek schommelend over, zingend boven rotsblokken. Sta halverwege tegenover reusachtige stier als het *Harappan*-motief. Voorzichtig passeren; stier denkt aan hogere zaken. Aan andere oever lang, laag gebouw met groot uithangbord: INDIAN ASSOCIATION OF SADHUS. Waarom 'Indian'? Lange, gezette vent gehuld in saffraan staat bij trap die naar de rivier leidt, wrijft over zijn schenen. Misschien bondssecretaris die zich ontspant na jaarlijkse voetbalwedstrijd. Vaishnavas tegen Śaivas.

Loop terug. Weg vol met westerse toeristen/pelgrims. Wapperende gewaden. Moet denken aan *Passage to India*. '*God si Love*'. 'Is dit de eerste boodschap van India?' Mijn linkeroog. Het is de tweeëntwintigste.

Zit op balkon tot middernacht te praten met fotografen, drinken fles Old Monk-rum leeg. Ga naar binnen om te roken. Aangenaam. Nog steeds fris hierboven. Vertrek morgen. Genoeg foto's. Perspectief, filters, sluitertijden. Linkeroog. Neem nog wat rum.

Volgende ochtend naar Ganges om te baden. Smeltende sneeuw, rivier kolkt razendsnel. Aantal knopen. Stalen kettingen aan oever om vast te houden, anders wakker worden in Calcutta met gier op je lever. Uitkleden. Brrrr. K-k-koud. T-tanden klapperen als t-t-trommels. Heerlijk water. Ga driemaal kopje onder. Zeg mantra's in stilte. Zo'n soort sfeer. Zo'n soort hindoe, wil niet dat fotografen mij uitlachen. Dhammika boeddhist. Amit mondain. Hij denkt. Vul Old Monk-fles, drink een paar weken Gangeswater bij mijn rum. Ga naar de hemel.

Twaalf dagen later. Terug in Delhi. Bloedheet. April. Lees krantenkoppen. Veertien miljoen mensen in Hardwar – net zo groot als buitenwijk van Delhi. Tenten, provisorische toiletten; hygiëne? – nooit van gehoord. Stormloop op Harki-Pauri. Chaos en paniek. Tweeënveertig doden. Direct naar de hemel. Pelgrimstocht de moeite waard. Pelgrimstocht altijd de moeite waard.

Veertien jaar later. Mahakumbh Mela in Allahabad. Eens in de 144 jaar, bijzondere samenstand van planeten. Te oud om nog op pelgrimstocht te gaan. Te wijs. Ziel al gered. Maar vijftig miljoen aanwezig. Misschien honderd miljoen. Leger treft voorbereidingen. Gemeente doet mee. Chemische toiletten. Schoon voedsel. Schoon water. Niet uit de Ganges. Smetteloos schoon. Geen doden. Niemand naar de hemel. BBC, *National Geographic*, Franse en Duitse tv. Spektakel. India promotie. Minister van Toerisme: rond 2020 1,6 miljard toeristen. Linkeroog. Militant hindoeïsme. Hindoeïsme gedisciplineerd. Hindoe-partij aan de macht. Maar Kistenen welkom als brengen dollars.

Boven de

lichtstad

ARIE STORM

Arie Storm werd met zijn roman *Hémans duik* genomineerd voor de Debutantenprijs en publiceerde sindsdien vier romans, waarvan *Gevoel* de meest recente is. In 2005 verscheen van hem de essaybundel *De X-Files van de literatuur*. Hij recenseert met scherpe pen voor onder andere *Het Parool* en *Vrij Nederland*. Tevens is hij een van de oprichters van het literair tijdschrift *Kinbote*.

Nooit had ik gevlogen of was ik van plan geweest dat te gaan doen, maar ik had ook nooit nee gezegd wanneer mij werd gevraagd iets te verrichten wat op de een of andere manier met mijn talent, of met mijn vermeende talent, te maken had. Dus zat ik nu in een vliegtuig dat op weg was naar het vliegveld van of in Clermont-Ferrand, daar wist ik het fijne niet van, in elk geval bevond het zich in Frankrijk, voor zover mijn kennis reikte ergens in het midden van dat land, nu ja, eerlijk gezegd had ik geen flauw idee. Het maakte ook niet uit, want mijn reis zou niet dáár eindigen, maar nog weer verder weg, ergens in een kasteel in E. – voorzichtigheidshalve begin ik vanaf nu maar met initialen te werken. Wat ik daar ging doen stond me niet helemaal helder voor ogen en ik twijfelde eraan of het me ooit duidelijk zou worden. Door de telefoon was er sprake geweest van een omgeving waarvan ik altijd al had gedroomd en een plek waar het geluk voor het oprapen lag. Ook zaten er daar mensen op mij te wachten, zoveel had ik er wel van begrepen, uitsluitend vrouwen trouwens, het heeft geen zin daar ingewikkeld over te doen. Die vrouwen wilden profiteren van mijn talent, van mijn gave, of van wat daarvoor doorging. Dat talent, of die gave, zou ik op hen over moeten brengen of over moeten dragen, zo was het mij ongeveer uitgelegd. Zoals gezegd: het stond me allemaal niet zo duidelijk voor ogen; 'troebel' is het woord dat ik zoek, ik had een vertroebelde kijk op de hele zaak. Toen door de telefoon tijdens het gesprek waarin de afspraak werd gemaakt waardoor ik nu in dit vliegtuig zat het woord 'gave' viel, en in één moeite door ook het woord 'talent', was ik afgehaakt, of in elk geval waren mijn gedachten dusdanig afgeleid dat ik overal mee instemde, al had ik naar Siberië moeten reizen (of vliegen, om precies te zijn). In plaats van zinnig na te denken over de vraag of ik 'ja' of 'nee' zou zeggen, was ik verwoed aan het tobben geslagen, een tobben dat zich in het vliegtuig voortzette. ('U bent toch die schrijver?' had de stem aan de telefoon uiteindelijk gevraagd. 'Ja ja,' had ik geantwoord, en daar had ik enigszins hysterisch maar niet bezijden de waarheid aan toegevoegd: 'Als ik íéts ben, dan ben ik dat.')

Je weet van jezelf niet over welke eigenschappen je beschikt of hoe je karakter precies in elkaar zit. Vaak heb je een modus gevonden die je in staat stelt te overleven, die je in staat stelt dóór te gaan met leven en misschien zelfs iets meer dan dat: je hebt jezelf wijsgemaakt dat je een bepaald talent hebt, dat je wellicht zelfs verschillende talenten hebt, waardoor het leven *de moeite waard* wordt. Je hebt jezelf hierover verteld of anderen hebben je dat verteld; er is zoiets ontstaan als het verhaal van je gave en de geschiedenis ervan. Er zijn ook zekere toekomstverwachtingen naar aanleiding van dat door jezelf of door anderen aan jou toegeschreven talent. Ieder mens voegt zijn of haar deel aan de wereld toe, geeft dat door, nooit verdwijnt alles echt. Zo wil je het hebben. En inderdaad, er verdwijnt niets, maar wat wordt doorgegeven is niet altijd het verlangde of gewenste. Het verhaal van je talent – de vertelling, de mythe, de grootspraak – wordt doorgegeven als om de blik te versluieren, als om de aandacht af te leiden, maar wellicht is dat verhaal zélf eigenlijk vooral een symptoom. Het verhaal van je talent ís misschien wel het duistere, het onverlangde, het ongewenste, het gif dat je niet wilt zien en waarvan je niets wilt weten, dat wat doorettert terwijl het 't beste zou kunnen verdwijnen, zou kunnen oplossen in het niets. Maar het gaat niet weg, het gaat nooit weg, omdat nooit alles echt verdwijnt: dat wat in het verleden is ontstaan – het gif –, zet zich in het heden voort en zal zich ook in de toekomst manifesteren. Je probeert er niet op te letten, je besteedt er geen aandacht aan, je negeert het en je concentreert je op je gave, op datgene waar je goed in bent of waarvan anderen zeggen dat je er goed in bent, of waarvan je erin bent geslaagd anderen wijs te maken dat je er goed in bent en waarin zij eigenaardig genoeg zijn gaan geloven. Enzovoort en zo verder, ik was mezelf lelijk in een knoop aan het denken, hoewel mijn gelijk wel vaststond (meende ik). Het leek me overigens niet verstandig eenmaal daar aangekomen waar ik naar op weg was – E. (met dat kasteel) – aan die vrouwen juist dít, het voorafgaande, uit te leggen, hoe waar het ook was; en ik besefte dat die vrouwen en ik nog voordat we elkaar hadden gesproken al in een web van leugens verstrikt zaten, een web waaruit we ons nooit zouden kunnen bevrijden, hoe goed we ook ons best zouden doen.

Euforie, het woord 'euforie' kwam in me op. Nee, zoiets als euforie had zich nog niet meester van mij gemaakt tijdens deze – mijn eerste! – vliegreis. Van overdreven angst was evenmin sprake. Geruststellend was dat wat we aan het doen waren ook niet echt op vliegen leek, vond ik. Ja, we hingen wel in de lucht, maar hoewel ik bij het raam zat – of, liever gezegd, bij het raampje, want groot was het hier allemaal niet (even legde ik mijn hand tegen het raam: het was koud) – kon ik niet echt constateren dat er sprake was van enige progressie. Naast mij bevond zich een man die verdiept was in een Nederlandse krant. Ik vond dat hij heel dicht bij me zat. Over het algemeen had je in zo'n vliegtuig weinig ruimte tot je beschikking. Alles was, zoals bijvoorbeeld de ramen, veel bescheidener van grootte dan ik me vooraf had voorgesteld. Daarbij kwam dat dit ook nog eens écht een vrij klein toestel was, er kon amper zestig man in, een aantal dat overigens daadwerkelijk was gehaald, het vliegtuig was afgeladen. Het waren daarbij stuk voor stuk mannen, een vrouw was in het hele gevaarte nergens te ontdekken, tenminste, daar was ík niet in geslaagd. Zelfs de stewardess was een man, een steward. Enkele ogenblikken eerder had hij mij een blikje bier overhandigd, terwijl hij me met een norse Franse oogopslag opnam. 'Merci,' had ik gemompeld (daar leek me niets mis mee). Ik nam kleine slokken uit het blikje en keek uit het raam, nee, hard leek het niet te gaan. We hingen net onder de wolken, buiten schitterde, blonk en glinsterde het in een afnemend zonlicht. We zaten met zestig mannen in een niet al te groot vliegtuig. Misschien, zo overwoog ik, werd mij enige compensatie geboden voor het vrouwenoverschot waarmee ik straks te maken zou krijgen. 'Straks', daar bedoelde ik later mee, als we weg waren uit deze lucht die geluidloos werd voortgejaagd door de wind, zoals ons toestel met behulp van beschaafd gemotoriseerd geweld eveneens onmerkbaar maar onstuitbaar naar andere uitspansels ijlde, daar waaronder Clermont-Ferrand lag, onze eindbestemming, mijn tussenstation, onze voorlopige bestemming, mijn voorlopige bestemming, mijn ondergang, voegde ik er onwillekeurig aan toe (mijn tobben kent soms geen einde).

Mijn talent, of dat wat ik voorwendde dat mijn talent was, of dat wat anderen aan mij toeschreven als zijnde mijn talent (en wat vervolgens weer door anderen in twijfel werd getrokken), bestond er voor een groot gedeelte uit dat ik goed thuis kon blijven. Tenminste, dat had ik lange tijd gemeend en dat meende ik misschien nog steeds, zij het met enkele terechte nuanceringen. Dat wat ik met mijn gave deed was niet iets wat ik net zo goed ergens anders kon doen. Het was alsof die gave, dat talent, dat vermogen, of hoe je 't ook wilde noemen, thuis op mij wachtte, en dat ik op het moment dat ik mijn huis verliet, me er daadwerkelijk van verwijderde, me er weg van begaf. Mijn talent was als een beest dat ik thuis gekooid hield en dat mij op zijn beurt kooide. Je hoorde of las soms wel over auteurs die schreven in kroegen of op logeeradressen of in verre oorden, maar mij lukte dat nooit (nog afgezien van het feit dat ik nooit in 'verre oorden' kwam). Ik schreef thuis, in een ambiance die ik zelf had gecreëerd, met mijn eigen boeken en papieren om mij heen, niets bijzonders eigenlijk, behalve dan dat het mijn thuis was. En nu deed zich de paradoxale situatie voor dat ik met elke seconde die deze reis duurde me verder van mijn thuis en mijn gave verwijderde – het leek in zo'n vliegtuig niet hard te gaan, maar dat was iets waar ik me waarschijnlijk flink op verkeek – en dát terwijl ik die gave juist moest zien over te brengen of over te dragen (het bleef enigszins troebel) op een groep vrouwen – ontketende vrouwen, stelde ik me zo voor, in elk geval waren ze, net als ik, ver van huis, die vrouwen, ze keken hunkerend uit naar mijn komst en vooral naar mijn gave (wie wist wat zíj thuis hadden achtergelaten?). Ik tuurde nog maar eens door het raampje van het vliegtuig, buiten was het inmiddels behoorlijk donker – ging dat altijd zo snel? –, alles leek vredig en kalm. De man naast me sloeg een pagina van zijn krant om.

Ik geloof dat hier ergens bij mij, op dit punt, de paniek toesloeg. *Wie heeft er niet van gedroomd zijn koffer te pakken en helemaal alleen te vertrekken naar een plek waar je altijd al naartoe had willen gaan?* Ik vroeg me af welke plek dat in godsnaam kon zijn, maar nu herinnerde ik me dat dit wel degelijk de zin was die de vrouw aan de telefoon had gebezigd. En dat ik de kans kreeg, ja, dat had ze ook gezegd, om mijn koffer te pakken en helemaal alleen te vertrekken naar... En dat het goed van mij was als ik die kans met beide handen... En... En... 'U bent toch wel die schrijver?' had ze zichzelf onderbroken. 'Ja, als ik íéts ben...' Ik keek door het raampje en probeerde uit alle macht de paniek te onderdrukken. Buiten was het donker, maar in de diepte nam ik plotseling een poel van licht waar, een lichtspel, een kleurenglinstering, een stil vuurwerk, betoverende fonkelingen. *Parijs,* zei de man naast me. Ik hing hoog in de lucht, buiten was het donker, behalve dan beneden, daar in de diepte, dat zag er prachtig uit, en opeens begreep ik alles. Er was geen enkele reden tot paniek, als schrijver had ik mijn bestemming gevonden, de paniek verdween even snel als zij was opgekomen, ik vloog hoog boven een prachtig verlicht Parijs, samen met nog zo'n zestig man, vanaf nu

zou alles in orde komen, vanaf nu zou alles beter gaan, nóg beter, mijn talent had me hier gebracht, mijn talent moest ik volgen.

Het einde van

de wereld

NINO RICCI

Nino Ricci is romanschrijver en woonachtig in
Toronto, auteur van *De slang en de onschuld, In
a Glass House, Where She Has Gone,* en *Testa-
ment.* Zijn werk is onder andere bekroond met
de Governor General's Award for Fiction, de
Betty Trask Award en de Trillium Prize. Hij is
al geruime tijd een wereldlijke pelgrim.

Al vijfhonderd jaar voelen pelgrims zich aangetrokken tot de Galápagoseilanden – het einde van de wereld, volgens William Beebe –, op zoek naar van alles, variërend van God tot de duivel. Het was echter Charles Darwin die de eilanden een plaats in de geschiedenis zou geven. Daar ontdekte hij namelijk de beroemde vinken, waarvan de kleine, subtiele aanpassingen aan de grillen van hun eigen natuurlijke omgeving zo'n cruciale rol zouden spelen in de ontwikkeling van zijn evolutietheorie. Door een nogal onwaarschijnlijke wending, door het geluk dat Darwin op de eilanden vond, werd de archipel van een verafgelegen schuilplaats voor piraten en gekken tot een pelgrimsoord. Tegenwoordig reizen er tienduizenden mensen naar het einde van de wereld – en een reis daarnaartoe is niet bepaald een lowbudgetvakantie – om de verre plaats te bezoeken waar een theorie ontstond die leidde tot de oorspronkelijke tekst van *The Origin of Species*, die de meesten van hen nooit gelezen hebben.

Darwin had de eilanden rond 1830 bereikt aan boord van de HMS *Beagle*, toen de archipel nog een uitvalsbasis was voor walvisvaarders en zeerovers, en hij was daar niet zozeer beland om God te zoeken als wel om Hem te ontvluchten. In Cambridge had hij niet veel initiatief getoond, behalve voor de jacht en het verzamelen van kevers – destijds een rage onder jongemannen – en hij was aangemonsterd op de *Beagle* als hutgenoot van de kapitein, om een tijdlang het lot te ontlopen dat de meeste studenten in zijn omstandigheden – zonder een eigen inkomen om op terug te vallen – wachtte, namelijk zich ergens vestigen in een plattelandsparochie met een huis, een tuintje en een vrouw. Hij bracht maar enkele weken op de Galápagoseilanden door, een heel klein deel van zijn vijfjarige reis, en vond het, getuige zijn dagboek, een deprimerende, naargeestige plek, 'zoals we ons het beschaafdere deel van de onderwereld zouden kunnen voorstellen'. Wat betreft de vinken die later onlosmakelijk met zijn naam verbonden zouden worden, noteerde hij slechts dat hij er niets van snapte, en hij kwalificeerde de kleine verzameling die hij met veel moeite had samengesteld zo onhandig en inadequaat dat die nauwelijks enig nut bleek te hebben. Van de grote schildpadden waar de archipel zijn naam aan dankt, zag hij evenmin het belang in, en hij wees de bewering van de plaatselijke bevolking van de hand dat ieder eiland een herkenbare eigen soort had. Hij keek ongeïnteresseerd toe terwijl van de exemplaren die als proviand aan boord van de *Beagle* waren gehesen de veelbetekenende rugschilden van hun vlees werden losgesneden en in zee werden geworpen.

Niettemin waren het deze eilanden, meer dan welke andere plek ook, die geassocieerd worden met Darwins evolutietheorie, met de eerste vonk van herkenning waaraan de rest zijn heldere licht zou ontlenen. Dat befaamde inzicht zou uiteindelijk niet alleen Darwins eigen leven grondig veranderen, maar tevens de hele loop van de menselijke geschiedenis. Misschien was het precies dat, het vage besef van de transformatieve kracht van de eilanden – want pelgrimages hebben alles te maken met transformatie – waardoor er voortdurend mensen naartoe gelokt werden, naar het einde van de wereld: niet de afmeting van een vinkensnavel of de specifieke buiging van een schildpaddenrug, maar de vage hoop op een vonk, op een veranderd inzicht, op de onverwachte geestelijke verlichting die je wereld zou kunnen veranderen.

Ik was al jong van mijn geloof gevallen en heb sindsdien altijd de aandrang tot een pelgrimage kunnen weerstaan. Zelfs in een wereldlijke vorm heeft een pelgrimstocht iets ongemakkelijks en gemaakts, alsof het inzicht of de openbaring door een lotsbeschikking kan worden afgedwongen. Niettemin is mijn leven een aaneenschakeling van pelgrimstochten geweest: als puber de verplichte rugzaktoer door Europa, op zoek naar mijzelf; als leraar een verblijf in Afrika, vanuit mijn katholieke achtergrond ongetwijfeld met de hoop om missionaris te worden; een jaar in Florence op zoek naar mijn etnische roots; een reis naar het Heilige Land om de plaatsen te bezoeken die in mijn kinderjaren mijn fantasie het meest hadden geprikkeld. Min of meer vanaf het begin had ik die reizen altijd verantwoord als onderdeel van mijn vorming tot schrijver, waarbij ik mijn pelgrimsneigingen sublimeerde tot de praktische noodzaak om materiaal te verzamelen. Wat het mij echter opleverde waren personages die niet zelden gedreven werden door hun geestdrift en zoektocht naar dezelfde godheid die ik uit mijn leven gebannen had. Het was alsof ze mijn plaatsvervangers waren en op zoek waren naar iets waarin ik zelf niet meer geloofde, maar wat ik ook niet zonder meer kon verwerpen.

Toen ik dus vertrok naar de Galápagoseilanden omdat ik al mijn hele leven geïnteresseerd was geweest in alles wat met Darwin te maken had, besloot ik een zwijgende reisgenoot mee te nemen, en wel een jongeman genaamd Alex, wiens zoektochten het onderwerp zouden worden van een roman waaraan ik net begonnen was. Zijn reisdoel was anders dan het mijne: ik betaalde het vereiste geld en reisde langs de geplande route in de hoop enige interesse te kunnen opbrengen voor flora en fauna en mijn begrip van de evolutietheorie te verfijnen. Alex, zo stelde ik mij voor, was in een opwelling op de Galápagoseilanden terechtgekomen, en wilde zowel meer als minder: een reis die hem niets kostte – zowel financieel, emotioneel als spiritueel – en hem tegelijkertijd, zoals alle jongemannen die op reis gingen hoopten, de wereld zou schenken. Hij was als de jonge Darwin, reizend om een ander lot te ontlopen, zich inbeeldend dat hij openstond voor allerlei nieuwe inzichten en tegelijkertijd zonder oog voor de overduidelijkste bronnen. De vraag of hij en ik het überhaupt wel met elkaar zouden kunnen vinden, of dat ik hem de transformatie zou kunnen bieden waarnaar hij op zoek was, was nog open.

Er was nog een belangrijk verschil tussen ons: Alex maakte zijn reis ruim twintig jaar vóór de mijne, in een tijd dat reizen naar de Galápagoseilanden nog niet zo georganiseerd was en er nog een kans bestond op het ervaren van de grenzen van de beschaafde wereld, waar de Galápagoseilanden lange tijd om bekend hadden gestaan, vanaf de tijd van de zeerovers. Het was de zoektocht naar de grenzen van onze beschaving die Darwin, Herman Melville en William Beebe erheen had gelokt, evenals gekke Duitsers op zoek naar de beschaving van de nobele wilde en Noren die een vissersimperium wilden opzetten, totdat zij, gedreven door honger en eenzaamheid, weer naar huis gingen. Die zoektocht was ook de reden van de geheimzinnige Wittmers om ernaartoe te gaan, die er aankwam met een gevolg van onder anderen een barones met haar drie minnaars en een tandeloze arts, en die stuk voor stuk, langzaam maar zeker, stierven of verdwenen, waardoor de geheimzinnige Wittmers uiteindelijk alleen achterbleef. Hoewel Alex zich daar nauwelijks van bewust was, was dit de traditie die hij wilde volgen en waar ik hem, als zijn Vergilius, in moest leiden, met een reisgids in de ene hand en een verrekijker in de andere.

Wat ik echter ontdekte, was dat de grenzen van de beschaving er nauwelijks nog te vinden zijn. De aankomst op de eilanden, om precies te zijn op Baltra Airport, was nog even naargeestig als in de tijd van Darwin: rode maansteen te midden van bruine rotsen en zand, hier en daar onderbroken door een cactus of een uitgedroogde struik en door de skeletachtige overblijfselen van een Amerikaanse legerbasis. Maar toen we eenmaal uit het vliegtuig waren gestapt, werden we vrijwel onmiddellijk meegenomen naar de Aeolian Cove om aan boord te gaan van gereedliggende schepen, en in het geval van Alex en mij was dat een luxejacht dat *Eric* heette en waar ik voor mezelf (Alex reisde uiteraard gratis) door last minute te reizen tegen een aardige korting een hut had kunnen boeken. Vanaf dat moment was de enige ervaring die met de beschavingsgrens te maken had, het moment dat de airco het begaf. Goed geïnstrueerd, goed gevoed en in de watten gelegd leken wij en onze medepassagiers – een theoloog, een patholoog-anatoom, een fabrieksdirecteur en een onderzoeker voor de CIA – in het geheel niets gemeen te hebben met Darwin, Melville of de pionier Patrick Watkins die rond 1800 van Ierland naar de Gálapagoseilanden was gevlucht en een keet voor zichzelf had ge-bouwd op het strand, waar hij kool en aardappelen verbouwde die hij ruilde voor rum met passerende walvisjagers. Als Watkins vandaag de dag was komen opduiken, dan zou hij onmiddellijk gearresteerd zijn door de Galapagos National Park Service; de eni-ge manier waarop men tegenwoordig de eilanden nog kan be-zichtigen is aan boord van geregistreerde schepen zoals de *Eric*, en op voorwaarde dat de routebeschrijving maanden van tevoren is aangevraagd en door de autoriteiten van het nationale park is gecontroleerd en geaccordeerd.

Onze dagen aan boord van de *Eric* bestonden uit een och-tendbezoek van twee of drie uur aan een van de eilanden, ge-volgd door een ontspannen lunch aan boord (geserveerd door Ugo, onze steward gekleed in een wit uniformjasje) terwijl we naar een nieuwe plek voeren, en vervolgens een middagexcursie van twee of drie uur, meestal met een verblijf aan het strand. De opzet van onze reisroute was dat we een uitgebreide indruk kre-gen van de flora en fauna op de Gálapagoseilanden, van de beschei-den *puncture vine* en Darwin-madelief tot de grote reuzenalbatros en olifantsschildpad. Tijdens de gehele reis werden we vergezeld door onze ter zake kundige Ecuadoriaanse gidsen, de knappe jon-ge Harry die eruitzag alsof hij zojuist uit een Hawaïaanse strand-film was gestapt, en de melancholieke en kritische Raoul die we aanvankelijk allemaal meden omdat hij tegen ons foeterde als we van de gebaande paden afweken of het zand niet van onze schoenen klopten voordat we weer aan boord kwamen, maar aan wie we uiteindelijk gewend raakten. Hij was een autochtone Galápageño en bleek een waardevolle bron van informatie te zijn voor de reis die Alex twintig jaar eerder naar de Galápagoseilanden had gemaakt, toen Raoul nog een tiener was geweest en zijn tijd had doorbracht op de vissersboot van zijn oom. Raoul hield echter vol dat ook in die tijd het toerisme streng gereguleerd was: je mocht niet van het voorgeschreven pad afwijken of roekeloze avonturen ondernemen, en er werd geen dispensatie gegeven aan zogenaamde rugzaktoeristen die op zoek waren naar God.

We gingen voor het eerst echt aan wal bij het strand van de Darwin-baai op Tower Island, een plaats waar Darwin zelf in werkelijkheid nooit geweest was. Hij had er een betere indruk kunnen krijgen van de eilanden dan vanaf de plek die hij vermeldde in zijn dagboek: hoewel de begroeiing er niet bepaald weelderig was, had het een prachtige koraallagune en een wit zandstrand, omgeven door mangrovebossen. Veel ingrijpender echter was onze eerste kennismaking met de befaamde gedweeheid van het wild op de Galápagoseilanden. Grote fregatvogels zaten op nog geen halve meter afstand op hun slordig gebouwde, van doornen voorziene nest; roodvoetjan-van-genten tuurden suf voor zich uit vanuit de mangrovebossen; gemaskerde rotspelikanen zaten midden op het strand nonchalant op hun nest dat uit niet veel meer bestond dan een rond gat in het zand, omgeven door een ring van mest. Op een gegeven moment kwam een groepje Galápagoszeeleeuwen – een moeder met pup, een paar adolescenten en een jonge stier – het strand op gewaggeld. Het ging liggen zonnebaden vlak bij een strandmeertje, zonder ons ook maar een blik waardig te keuren. Hoewel deze verdraagzaamheid tegenover mensen de bekendste eigenschap is van het dierenrijk op de Galápagoseilanden, gaf het ons een vreemd gevoel om er daadwerkelijk getuige van te zijn. Het was alsof ik mijn hele leven in staat van oorlog had verkeerd met de natuur, en die oorlog nu plotseling afgelopen was. Ik had het altijd als vanzelfsprekend beschouwd dat vogels, eekhoorns, aardeekhoorns en ratten in mijn nabijheid een veilig heenkomen zochten, alsof er een groot gevaar van mij te duchten was. Maar hier had iets geheel anders plaats: acceptatie. Sterker nog: volslagen desinteresse. Het gaf mijn kijk op de dingen een drastische wending; in zekere zin was het nogal vernederend om ineens niet meer het meest gevreesde wezen van de hele schepping te zijn, maar tegelijkertijd werkte het op de een of andere vreemde manier ook louterend en bevrijdend, alsof wij mensen degenen waren die al die tijd doodsbenauwd waren geweest en nu niet langer voortdurend op onze hoede hoefden te zijn.

Wat een dergelijke tolerantie, bij wijze van spreken als die tussen een leeuw en een lam, zo aangrijpend maakte, was deels de manier waarop het ten diepste aansloot bij onze voorstelling van het aards paradijs, of van de idyllische toestand van voor de zondeval, zonder strijd of competitie. Zelfs onder elkaar leek de bevolking van de Darwin-baai verbazend vredelievend, zoals iedereen zijn gang ging zonder ook maar enige aandacht aan elkaar te besteden. Ik meende via hen iets te kunnen doorgronden van wat er in evolutionair opzicht zo belangrijk was aan deze plek: het leek wel alsof iedere soort zodanig geordend was dat hij slechts de hem toegekende plaats in het leefmilieu innam, zonder door enige andere soort te worden bedreigd. De gemaskerde rotspelikanen nestelden op de grond, de roodvoetvariant – vreemd eigenlijk gezien de zwemvliezen tussen hun tenen – in de bomen; de roodvoetjan-van-genten gingen ver de zee op om vis te vangen, terwijl de blauwvoetvariant vlak bij de kust bleef. Zelfs de slordig gebouwde nesten, de kleine, van twijgen en mest gebouwde platformpjes waarop de fregatvogels zaten, de gaten in de rotsen waar de vorkstaartmeeuwen hun jongen grootbrachten, leken deze onderlinge harmonie te bevestigen: er is geen enkele noodzaak voor bedrijvigheid of detaillering, omdat de natuur, net als met de leliën des velds, alles zelf geregeld heeft.

Het was dan ook op zijn zachtst gezegd ironisch te noemen dat een dergelijke, schijnbaar idyllische plek de inspiratie was geweest voor een begrip – *survival of the fittest* – dat zoveel schade berokkend had aan ons idee van een ethisch verantwoord, goedbedoelend universum. Maar toen vroeg Harry onze aandacht voor de blauwvoetjan-van-genten die zich van een hoogte van vijfentwintig meter of meer van de rotsen stortten om vissen te vangen in de baai – vissen die waarschijnlijk liever in leven waren gebleven dan terecht te komen in de snavel van een vogel – terwijl erboven roodkeelfregatvogels rondjes vlogen die, omdat ze over onvoldoende stuitklieren beschikten om goed te kunnen duiken, aan voedsel kwamen door in volle vlucht hun gehoekte bek met zoveel kracht in de rug van een jan-van-gent te porren dat hij zijn volledige vangst uitbraakte. Dan was er nog de jonge zeeleeuwstier op het strand die om zich heen keek alsof hij van niemand iets te duchten had; bij nadere inspectie bleek dat zijn rug onder de littekens zat. In werkelijkheid bestond zijn leven uit een constant gevecht tegen zijn talrijke rivalen, om de alleenheerschappij over zijn stukje strand en alle vrouwtjes die zich erop bevonden. Voor de meeste stieren duurde die alleenheerschappij slechts enkele weken; door de permanente waakzaamheid konden ze tijdens hun machtsperiode vrijwel niets eten. Als ze eenmaal waren onttroond, trokken ze zich terug in wat Harry en Raoul de 'vrijgezellenbar' noemden, een beschutte lagune waar ze op krachten konden komen om op een goede dag weer te kunnen deelnemen aan het gevecht om de macht.

Geen van die gevechten woog echter op tegen de angstaanjagende strijd die zich afspeelde in het nest van de zo onschuldig lijkende gemaskerde rotspelikaan. De gemaskerde rotspelikaan is, hoewel niet de kleurrijkste, misschien wél de elegantste onder de rotspelikanen – zwart-wit met een karakteristieke grijze ring op zijn kop – en legt in de broedtijd twee eieren, met een tussenpoze van enkele dagen. In die twee dagen speelde zich, naar bleek, een spel op leven en dood af. De eerstgeborene bouwde in die tijd zijn krachten op en lag te wachten op de geboorte van zijn broertje of zusje, dat hij begon aan te vallen met alle kracht en al het venijn dat hij in zijn jonge lijfje had, en ofwel op beestachtige wijze vermoordde of simpelweg uit het nest werkte, zodat het ten prooi viel aan de spotlijsters. De ouders, waarvoor het twee-de ei kennelijk slechts een soort extra zekerheid was voor het geval het eerste jong het niet redde, bekeken deze strijd met even-veel onverschilligheid als ze voor ons mensen aan de dag legden, waardoor hun tolerantie in een ander licht kwam te staan: het was niet langer een uiting van grote harmonie maar eerder van een ultieme amoraliteit die verder ging dan goed of kwaad. Wat was dit voor een wereld, waarin het ene kind als eerste daad in zijn nog jonge leven zijn broertje of zusje vermoordde terwijl de ouders ongeïnteresseerd toekeken? Blijkbaar dezelfde wereld waar-in het mij nog geen minuut tevoren blij te moede was geweest bij de gedachte aan een onvoorstelbaar tolerante Natuur.

De rest van de reis was voor het grootste deel een herhaling van die vreemde uitersten en contrasten: landschappen die va-rieerden van schraal vulkanisch gesteente tot mals, met bos be-dekt en voortdurend in nevel gehuld regenwoud; dieren met ui-terst complexe fysiologische kenmerken – de leguanen hadden bijvoorbeeld kleine sensoren in hun hoofd waarmee ze de inten-siteit van het zonlicht konden meten – die in werkelijkheid de lage mate van evolutie bevestigden; pinguïns die tienduizenden kilometers van de Zuidpool waren, aalscholvers die langzaam maar zeker weg-evolueerden van hun vliegstatus, vinken waarvan de bijzondere eigenschappen de wereld hadden veranderd. Elk per-spectief, zo leek het, was misleidend; zoals dat vulkanische ge-steente, dat er zo grimmig en schijnbaar levenloos bij lag als na een wereldbrand, maar in werkelijkheid zojuist ontstegen was aan de diepten der aarde en de basis vormde voor nieuw leven waar-aan van alles zou ontspruiten. Tijdens onze tochten stuitten wij hier en daar op kleine bosjes lavacactus, groepjes duimhoge bruin-grijze cactussen die bekendstonden als pioniersplanten omdat ze vaak de eerste soort waren die zich wisten te vestigen op een nieu-we lavabedding. Na wind en regen waren dit de eerste krachten die het lavagesteente langzaam fijnmaalden tot bruikbare bouw-grond. Ze vormden een hartverwarmend schouwspel, deze pel-grims, deze kleine, koppige enclaves van leven, te midden van de alomtegenwoordige woestenij. Dichter bij het begin van alles kon je waarschijnlijk niet komen: niks oerknal of oersoep, gewoon geduldig en onverstoorbaar inwerken op de barre steenmassa.

Alex was echter niet tevreden met een paar lavacactussen of een stukje nieuwverworven aarde: hij wilde een duidelijker teken als bewijs dat hij zich te midden van grote krachten bevond, iets grootsers en iets elementairs. Maar eenmaal terug op de *Eric*, nippend aan een glas wijn en peuzelend van de voorgerechten die Ugo altijd had klaarstaan wanneer wij weer aan boord kwamen, kon ik geen enkele manier bedenken om hem tevreden te stellen. Het was waar dat de hele reis nogal voorgekookt was. Bleven we de ene dag op het land, dan waren we de volgende dag op zee; aten we de ene dag pasta bij de lunch, dan de volgende dag verse vis; en als we 's ochtends leguanen hadden gezien, dan stonden er voor die middag zeeschildpadden en roodbek-keerkringsvogels op het programma. Het leek alsof op de eilanden alles op dezelfde afstand van elkaar lag: we liepen anderhalve kilometer over een pad dat de parkwachters voor ons hadden uitgezet, maar daarachter lag dan de woeste, eindeloze jungle met palosantobomen, de nog levende vulkanen die deze archipel gevormd hadden, de verborgen stranden en baaitjes waar zelden een mens kwam en waar de natuurkrachten zich nog konden uitleven.

Pas tegen het einde van ons verblijf, nadat Alex en ik de *Eric* verlaten hadden en enkele dagen onze intrek hadden genomen in Puerto Ayora, een van de weinige plaatsjes op de eilanden, zag ik eindelijk een doorbraak in het verhaal van mijn jonge held. Ik had gelegenheid gezien een gesprek aan te knopen met enkele plaatselijke bewoners en met natuurkenners die verbonden waren aan het Darwin Research Station, waarvan er een paar al sinds de jaren zeventig regelmatig de eilanden bezochten. Via deze groep mensen begon ik een beeld te krijgen van hoe het voor Alex geweest had kunnen zijn als hij op deze kusten was aangespoeld, voordat schepen als de *Eric* er de dienst uitmaakten. In die tijd liftten de toeristen mee met een plaatselijke vissersboot en moesten ze maar afwachten hoe hun reisplan zich zou ontwikkelen, vis etend die op het open dek werd gegrild, en zeewater drinkend dat ontzout was met een draagbaar distilleervat. Er waren voor toeristen nog maar erg weinig plaatsen geschikt om aan land te gaan, maar het stond vast dat op een archipel die vrijwel onbewoond was en zich uitstrekte over een oppervlakte van ongeveer vijftigduizend vierkante kilometer oceaan, de gangen van mensen nauwelijks te controleren waren. Derhalve was er ruimte voor avontuur... en voor rampspoed. Ik nam een kijkje bij een van de vissersboten die in de haven van Puerto Ayoro lagen aangemeerd, een ruige boot, met nauwe hutten voorin en de afgedekte visruimen die me beschreven waren. Er begon zich toen een beeld in mijn hoofd te vormen van een onnozele Alex die op zoek was naar een goedkope overtocht en de open zee op ging in een of andere gammele boot. Zo begon hij aan een krankzinnige, rampzalige tocht langs de Galápagoseilanden, die hem leidde naar het hart van de wildernis, die ons aan boord van de *Eric* zorgvuldig bespaard was gebleven.

Een van de mensen met wie ik sprak in Puerto Ayoro was een enthousiaste bioloog met een fonkelende oogopslag, Godfrey Merlen. Hij was in 1972 voor de gein naar de Galápagoseilanden vertrokken en woonde er nog steeds. Hij was duidelijk een soort rebel, min of meer verbonden aan het onderzoekscentrum maar niet helemaal, en hij woonde in een overwoekerde en vervallen bungalow vlak bij het kerkhof van Puerto Ayora. Merlen had met lede ogen de vervlakking van het toerisme van vroeger moeten aanzien, toen je nog oog in oog stond met de natuur in plaats van dat het je in hapklare brokken werd opgediend.

'Toen was het echt het einde van de wereld,' zei hij. 'Je stond er helemaal alleen voor, zonder reddingslijn, het was een kwestie van jij tegenover de elementen. Dat was het fantastische, dat je met eigen ogen de werking van de natuur kon zien, de hele genadeloze cyclus; het enige wat je hoefde te doen was kijken.'

Ik voelde hoe er een koude rilling over de rug van Alex ging. In gedachten zag ik weer het smeulende vulkanische gesteente van deze eilanden, de zwartglimmende zeeleguanen die lagen te zonnen op de steil aflopende rotsen, de rode aasetende krabben die zich vastklampten aan de plooien tegen het aanstormende tij, en ik wist dat een bepaald gevoel zich van Alex meester maakte: het gevoel van een onweerstaanbare oerkracht, een kracht die werelden schiep, zo geduldig en oneindig als God.

Het kostte Charles Darwin twee jaar en een terugreis naar Engeland voordat het goed tot hem doordrong wat hij allemaal gezien had op de Galápagoseilanden, mede dankzij een scheepsmaat die de moeite had genomen om zijn eigen verzameling Galápagosvinken beter te etiketteren dan Darwin had gedaan. Wat hij ontdekte was dat de vinken, hoewel ze op de Galápagoseilanden van hetzelfde geslacht afstamden, zich in de loop van de tijd op de een of andere manier afzonderlijk van elkaar hadden aangepast aan hun eigen milieu, de een met een snavel die groot en sterk genoeg was om een bepaald zaad open te breken dat maar op één van de eilanden voorkwam, een ander met een lange, smalle snavel, passend bij een bepaalde bloem die slechts op één ander eiland groeide. En ze waren onderling zoveel van elkaar afgeweken dat er niet alleen sprake was van anatomische veranderingen – waarvan degenen die geloofden in een door God geschapen universum het bestaan allang hadden toegegeven –, maar van een geheel nieuwe soort. Dit was een gruwel voor de creationisten: volgens hun standpunt was iedere soort op het moment van de schepping als zodanig vastgesteld en voorbestemd, met zeer weinig ruimte voor slechts de kleinste aanpassingen. Maar nu had Darwin het bewijs gevonden dat dit niet langer klopte; hij had veranderingen waargenomen die de natuur zelf in de loop van de tijd tot stand had gebracht, om nieuwe soorten te creëren die eerder niet bestaan hadden.

Darwin schreeuwde zijn ontdekking echter niet van de daken, maar hield het nieuws voor zich. Hij was weliswaar overtuigd van zijn gelijk, maar maakte zich ernstige zorgen over de implicaties van een eventuele onthulling. 'Het is zoiets als een moord bekennen,' schreef hij aan een vriend die hij als eerste op de hoogte had durven stellen, want Darwin maakte zelf deel uit van het wetenschappelijke establishment. En in die omgeving de mogelijkheid opperen dat God zelf niet persoonlijk verantwoordelijk was voor de intrinsieke aard der dingen, zou vrij baan betekenen voor anarchie en een hart onder de riem steken van de communisten en hervormers die in die tijd iedere gelegenheid te baat namen om de maatschappelijke orde omver te werpen. Door een goed huwelijk en een kleine toelage van zijn vader was Darwin een leven op de pastorie bespaard gebleven. Ongeveer twintig jaar lang, vanaf zijn oorspronkelijke ontdekking, voegde hij het ene minuscule detail na het andere toe, in een poging zijn gevoel voor het mechanisme dat verandering tot gevolg heeft te verfijnen – wat hij natuurlijke selectie noemde, maar wat algemeen bekend werd als *survival of the fittest* – en op die manier zijn theorie te onderbouwen en versterken tegen de felle aanvallen die hij ongetwijfeld zou ontketenen. Uiteindelijk durfde hij pas de stap tot publicatie te zetten toen de natuurkenner Alfred Russel Wallace na onafhankelijk onderzoek de mogelijkheid tot verandering opperde. Diens onderzoeksresultaten waren vrijwel gelijk aan de zijne en dreigden zijn levenswerk naar de prullenmand te verwijzen.

Jaren later zou Darwin stellen dat iedereen die ooit op de Galápagoseilanden was geweest dat bezoek nooit meer zou vergeten. Wat hemzelf betreft, was het niet zo moeilijk om de waarheid van die stelling in te zien. De eilanden hadden zijn leven drastisch veranderd, zo drastisch dat hij – die tijdens zijn universitaire studie aan niets anders gedacht had dan aan sport en gokken en die de wereld rond was gereisd in een tijd dat de meeste mensen zich zelden verder dan dertig kilometer van hun geboorteplaats waagden – veranderde in een pathologische kluizenaar, honkvast werd en het Londense wereldje verruilde voor een bescheiden huis in het dorp Downe, waar hij een zeer rustig en bescheiden burgerlijk leventje leidde, met een vrouw die dol op hem was en een niet-aflatende stroom kinderen. Ook deed zich het merkwaardige verschijnsel voor dat Darwin, hoewel hij tijdens zijn reizen aardbevingen, revoluties en allerlei soorten enge

ziekten had getrotseerd en slechts zo nu en dan een beetje zee-
ziek was geweest, plotseling ernstig en chronisch ziek werd, met
hartkloppingen en aanvallen van duizeligheid en misselijkheid
waarvan maar niet vastgesteld kon worden wat het was en waarvan hij tot het einde van zijn leven last zou blijven houden, zo
erg dat hij soms maandenlang tot niets in staat was. Verandering
hadden zijn reizen hem zeer zeker gebracht, maar misschien niet
het soort veranderingen dat hij graag gewild had: het leek alsof
de bodem plotseling uit zijn bestaan was weggeslagen, alsof hij de
gruwelen had aanschouwd die aan alle dingen ten grondslag liggen en op geen enkele vorm van troost meer mocht hopen.

Niet lang na mijn eigen bezoek aan de Galápagoseilanden kreeg
ik de mogelijkheid om nog een pelgrimstocht te ondernemen, en
wel naar het huis in Downe waar Darwin zich tot aan het einde
van zijn leven had verscholen. De algehele indruk van de woning, die zoveel mogelijk in originele staat was teruggebracht, was
merkwaardig genoeg erg vertrouwd: ik kende dat soort leven,
niet zozeer omdat ik Darwin kende, maar omdat ik wist wat het
was om zitbanken te hebben en stoelen en een tuin, schilderijen
aan de muur, al die huishoudelijke rommel. Dit was precies het
burgerlijke leven dat ik ook leidde, met tennisrackets in de gang-
kast en een werkkamer waar de kinderen voortdurend naar binnen liepen, spullen overhoop haalden en met het meubilair speelden. Het leek allemaal precies het tegenovergestelde van de
Galápagoseilanden: de Galápagoseilanden stonden voor het begin
van het leven, en dit was het eindpunt, hier liep de beschaving
ten einde, waar de mens zich omringde met gezelligheid en ver-
trouwdheid en gemak. Vanuit een ander gezichtspunt zag het er
echter nog onheilspellender uit: was al die rommel en gezelligheid en burgertruttigheid – in vele opzichten de grote erfenis van
het Victoriaanse tijdperk – niet precies het bolwerk dat wij hadden opgericht, dat Darwin zelf had opgericht, tegen de afschuwelijke waarheid die hij op de wereld had losgelaten, namelijk
dat God niet onze hoeder is maar dat het leven slechts bestond
uit blinde, meedogenloze materie? Ik zag opnieuw de enorme,

gapende afgrond voor mij van Darwins eerste vermoeden van die waarheid, met de stank van de Galápagoslava nog in zijn neus, en ik vroeg mij af of hij nooit spijt had gehad dat hij ooit voet had gezet op die eilanden, waarvan al vóór zijn komst bekend was dat ze iemand stapelgek konden maken.

Op mijn laatste dag op de Galápagoseilanden besloot ik de alomtegenwoordige hotels en souvenirwinkeltjes aan de boulevard van Puerto Ayora achter te laten en mij in de achterafstraatjes te wagen waar de plaatselijke bevolking leefde, te midden van eethuisjes en marktkramen die tienmaal zo goedkoop waren als wat je aan zee betaalde, en waar hele levens te zien waren door de ramen of open deuren van de kleine huisjes: ieder stukje meubilair, alle gebutste schotels en met slappe koffie gevulde kopjes, iedere in de muur uitgehakte schrijn voor de heilige Moeder Gods. Dit waren de straatjes waar Alex zijn tijd zou hebben doorgebracht, waar hij voor een paar stuivers per nacht een bed had gehuurd terwijl hij wachtte op zijn overtocht, waar hij bonen met rijst en een paar stukjes grijs geitenvlees at en een glas Guitig dronk, het plaatselijk gebottelde water met een embleem van een ijsbeer op een ijsschots. Hij had er nog geen idee van wat de Galápagoseilanden voor hem in petto hadden, en ik trouwens ook niet, hoewel ik inmiddels de opening zag naar de donkere gang die hij zou betreden.

Op de terugweg naar mijn hotel werd ik getrakteerd op de meest begeerde zegening die een pelgrim zich maar kan wensen: ik kreeg een teken. Op een muur van gasbetonblokken onder een weelderig bloeiende boom had iemand met grote witte blokletters een naam gekrabbeld: Alex. Ja, leek de boodschap tot mijn geruststelling te luiden, Alex was hier geweest. Het was alleen nog een kwestie van afwachten of hij de reis had overleefd.

Huis van Obasan

JOY KOGAWA

Joy Kogawa's roman *Obasan* stond op nummer elf van de door *Quill and Quire* in juli 1999 gepubliceerde lijst van belangrijkste Canadese fictie van de twintigste eeuw en werd met Amerikaanse en Canadese *awards* bekroond. Kogawa is geboren in 1935 in Vancouver en heeft elf werken gepubliceerd, zowel fictie als poëzie. Ze bezit diverse eredoctoraten en is lid van de Order of Canada. Ze reist heen en weer tussen Toronto en Vancouver. In 2005 verschenen herziene versies van *Naomi's Road* en *Itsuka*. Momenteel werkt ze aan een nieuwe roman.

Op zaterdag 27 september, van 14.00 tot 15.00 uur, zal de schrijfster Joy Kogawa terugkeren naar het huis van haar kindertijd op West 64th Avenue nr. 1450. Er vindt een ontmoeting plaats met vrienden, docenten, collega-schrijvers en geïnteresseerde lezers van haar werk. Ze haalt herinneringen op en leest voor uit haar bekroonde roman, *Obasan*.

Sinds de publicatie in 1981 is *Obasan* een van de populairste hedendaagse romans. Talloze lezers namen erdoor kennis van de massale verjaging, gevangenneming en uitroeiing van Japanse Canadezen tijdens de Tweede Wereldoorlog, via de hoofdpersoon van het boek, Naomi Nakane. Naomi voert de lezer via persoonlijke herinneringen aan die rampzalige gebeurtenissen mee terug naar haar kinderjaren in de wijk Marpole in Vancouver, om precies te zijn naar het jaar 1942 aan West 64th Avenue nr. 1450. Ze vertelt over de dag dat haar hechte familie op last van de Canadese regering op gewelddadige wijze uiteengerukt werd; ze was toen zes jaar oud.

Tijdens een recent bezoek aan Vancouver stuitte de eenenzestigjarige Kogawa bij toeval op het huis waarover zij schrijft in haar roman. Het huis verkeerde zowel vanbinnen als vanbuiten in vrijwel originele staat. Het pand was onbewoond en stond te koop. Kogawa was in het bijzonder getroffen door de kersenboom in de achtertuin, gedeeltelijk opgelapt en met stutten ondersteund, maar nog in leven. Als reactie op de uitnodiging terug te keren naar West 64th Avenue, schrijft ze: 'Ik heb altijd naar dat huis terugverlangd. In mijn herinnering was het zo'n geweldig huis, een soort kasteel in vergelijking met alle huizen waarin ik later woonde. De oude kersenboom staat nog steeds in de achtertuin – in slechte conditie en met wonden waaruit het sap naar buiten lekt – maar wonder boven wonder nog steeds in leven.'

In samenwerking met Joy Kogawa's vriend Roy Miki organiseren West Coast Line en de Japanese Canadian Studies Society een literaire bijeenkomst ter gelegenheid van Kogawa's terugkeer naar deze historisch zo belangrijke plek.

Met name de media zijn van harte welkom bij deze unieke literaire en culturele gebeurtenis in Vancouver.

Plaats: West 64th Avenue nr. 1450 (ten oosten van Granville)
Datum: zaterdag 27 september
Tijd: 14.00 tot 15.00 uur

Het was de dag dat Mars het dichtst bij de aarde stond, 27 augustus 2003, hoewel we daar niet aan dachten toen we 's ochtends door Oak Street reden. We waren toevallig in Vancouver – Fernande, die eigenlijk in New York woont, en ik, die meestal in Toronto ben. Een vriendin van Fernande woont in Zuid-Vancouver en gedrieën waren we op zoek naar een restaurantje om te ontbijten. We passeerden 61st, 62nd en 63rd Avenue en ik zei: 'O, 64th. Daar heb ik gewoond.' En Fernande sloeg de hoek om en zei: 'Goed, dan gaan we even kijken. Op welk nummer?'

Ik wist het niet meer. 'Ergens tussen Oak en Granville,' zei ik.

'Volgens mij eindigt het op 01.' We bleven zoeken naar 01, en terwijl we Granville naderden, zei ik: 'Nou ja, volgens mij zijn we het voorbijgereden.' Maar op dat moment keek ik naar de overkant en daar was het! En niet alleen was het daar, er stond een bord TE KOOP in de voortuin. Ik begon te gillen.

Mijn hele leven al – in elk geval vanaf mijn zesde – heb ik terug naar huis willen gaan. Ik wilde dat huis kopen. Op een gegeven moment heb ik die fantasie de kop ingedrukt, want als iets onmogelijk is, is het onmogelijk. Tijdens mijn jeugd heb ik brieven geschreven naar de eigenaren, waarin ik hun vroeg mij alsjeblieft als eerste op de hoogte te stellen als ze van plan waren te verhuizen. Maar ik kreeg nooit antwoord.

Toen mijn moeder in de tachtig was – mijn elegante moeder die zoveel geleden en zoveel verloren had – vroeg ze mij of ze terug mocht naar haar huis in Marpole. Ik had toen zo ontzettend met haar te doen.

En nu was het 2003 en stond ik voor het huis, vijftien jaar na haar dood. Haar huis. Te koop. Te laat.

Ik duwde tegen het tuinhek, maar het zat vast. Fernande zei: 'Het is op slot,' en klom over de omheining. Typisch Fernande. Het hek bleek niet op slot te zitten, het klemde alleen. Ze rukte het open. We liepen de trap af, de tuin in.

Het leek allemaal zo wonderbaarlijk: het huis dat er gewoon nog stond, het bord TE KOOP, en de manier waarop we er toevallig terecht waren gekomen. De hele straat, aan weerszijden van het huis, was afgebroken en vervangen door grote, nieuwe, glimmende nieuwbouw.

Ik belde de makelaar en sloeg steil achterover toen ik hoorde dat de vraagprijs 529.000 dollar was. Voor een oud huis? Ik vroeg of ik het niettemin mocht bezichtigen. Lucy Meyer liet mij binnen en ik werd op slag teruggeworpen naar mijn vroege kinderjaren: de serre vol met bloemen, de woonkamer, mijn slaapkamer, de hoge veranda achter bij de keuken, mijn speelkamer beneden op de begane grond, de garage waar het zaagsel werd bewaard. Alleen was alles zóveel kleiner geworden dan ik me herinnerde, precies zoals ik het beschreven heb in *Obasan* ('Het huis toen; het huis, zoals ik het me nu herinner, was groot en schitterend.') Toen keken we in de achtertuin, en ik zag hem. De boom. De boom.

Er is een liedje waarin de woorden voorkomen: 'Trek je schoenen uit, je staat op gewijde grond.'

De kersenboom.

Er is iets hogers dat boven ons zweeft. Er zijn bijzondere plekken. Er zijn bijzondere momenten. Nog voordat we konden zien, voordat we ogen hadden waarmee we konden zien, werd overal op aarde het gezichtsvermogen gevormd. Ogen ontwikkelden zich. Zo voelde het onder die kersenboom. Het gezichtsvermogen nam een aanvang.

Het voelde niet alsof de boom dat allemaal wist, maar alsof er een soort weten om de boom heen zweefde en de boom dat weten op de een of andere manier belichaamde. De boom was gewond; er droop vers sap uit. Er zat een touw omheen, de bast begon over het touw heen te groeien. Een kruisvormige bok ondersteunde de verbonden tak. Er was een groot stuk uit de stam gehakt.

Linda Ohama, de cineaste, ging met mij terug om foto's te maken en wees me erop dat de tak tot aan de ondersteunende bok gewond was. Verder was hij gezond.

'Vroeger hing ik altijd aan die tak,' zei ik. 'Deze tak, geloof ik. Precies op dit punt. Ik was vier of vijf. Ik weet het nog omdat ik trots op mezelf was. Ik hing eraan als een luiaard. Met armen en benen.'

Nadat ik die dag was weggegaan, schreef ik een brief aan de boom. Ik was verliefd geworden op een boom.

Brief aan mijn boom.

Mijn aller, allerliefste kersenboom,
Jij bent mijn boom. Jij bent een nobele boom. Jij stamt af van de boom der kennis van goed en kwaad. Jij hebt goed

en kwaad gezien. En jij hebt weten te overleven in de achtertuin van mijn ouderlijk huis. Jij bent mijn stamboom. Jouw takken zijn afgerukt zoals de takken van mijn familie ook zijn weggerukt. Jij bent gewond zoals mijn familie ook gewond is, en je sap is gestold, roestig en doorzichtig, oud en nieuw. Je blijft huilen. En toch, dankzij de kracht en moed der jaren, bij brand en bij droogte, blijf jij verder leven, je geeft beschutting aan voorbijgangers in het steegje achter het huis, zoals je over de schutting leunt met je bladerpracht.

Allerliefste boom, ik weet niet of ik gekomen ben om je te begroeten of om afscheid van je te nemen. Ik droom samen met jou in al mijn onwetendheid en huil met jou om de vele misdaden en het vele lijden in verleden en heden, om jouw neven en nichten, de miljoenen bomen die omkwamen in de bosbranden van 2003, om de gevoelloosheid van onze tijd waarin zo gemakkelijk wordt gescheiden en verlaten, en om de reusachtige blindheid die het Kwaad wordt genoemd.

Ik bid, liefste boom, vol vertrouwen ondanks alle bewijzen van het tegendeel, dat de liefde mag zegevieren, dat de barmhartigheid mag groeien. En ik dank de Bron van onze schepping van wie wij komen en naar wie wij terugkeren.

Moge het licht van het rijk der liefde zo sterk schijnen dat wij in vrede zullen kunnen reizen.

Ik kon niet wegblijven bij mijn boom. Toen ik terugkeerde, kwamen de tranen.

Mijn liefste boom
Jij trekt mij aan
Zoals een huilend kind midden in de nacht
Zijn slapende moeder wekt
Ik ontwaak uit mijn lusteloosheid
En kom naar jou

Even maar
Mijn hand op je stam
De stroom van ik-weet-niet-wat
Over mijn arm

Binnen een uur
Nadat ik je verlaten heb
Betrekt de lucht
En in deze afschuwelijke tijd van droogte
Valt de eerste
Regen

Linda ging ook nog een keer mee. Ze zei dat ik iets moest mee-
nemen van de boom. Er hing nog één kersenpit aan. Ze rolde
een stuk hout naar de boom waar we op konden staan. We pluk-
ten de pit en stopten hem in haar filmblikje.

Ik nam opnieuw afscheid van de boom.

Ik vertelde dit alles aan een groep vrienden, onder wie Roy
Miki. Ik wist dat het huis voorbestemd was voor de sloop. De
waarde van het kavel werd geschat op 400.000 dollar.

Roy zei: 'Weet je wat? Je kunt een voordracht houden in het
huis. Misschien kunnen we een open dag organiseren...' Roy
barst altijd van de ideeën.

'Maar ik vertrek over een paar dagen. Ik moet in Ottawa zijn.'

'Dan kom je toch terug. Het is maar een idee. Je weet maar
nooit...'

'Nee. Je weet het maar nooit...'

'We zien wel wat er zich voordoet.'

Hoop deed zich voor. De hoop slaat haar vleugels uit en neemt
ons mee op een reis naar de hemel.

Toen ik terugkwam in Toronto, stond Roy op mijn voice-
mail. Hij deelde mee dat volgens de makelaar het huis binnen een
week zou worden verkocht. Als er al een open huis plaatsvond,
dan moest dat aanstaande zaterdag gebeuren. 'Wil je me onmiddellijk terugbellen?' vroeg Roy.

Voordat ik Roy belde, belde ik het vliegveld en bestelde een vliegticket.

De voordracht vond plaats om 14.00 uur op zaterdag 27 september. Het huis zat stampvol: de serre, de woonkamer, de eetkamer, de keuken en de veranda. Ze zaten zelfs buiten in de tuin. Fred Cogswell was er met zijn dochter Kathleen. Cyril en Marjorie Powles waren aanwezig. Gemeenteraadslid Jim Green. Mijn schrijfgroep, SDW (seks, dood en waanzin).

Ik huilde onder het voorlezen. Ik wilde dat de dag nooit zou eindigen. Ik was zó gelukkig.

Eén ding dat ik van de boom geleerd heb, is dat er te midden van verdriet en ellende altijd tekenen zijn van warmte. Iemand heeft die boom verbonden. Iemand heeft met zorg de touwen eromheen gewonden om de stam zo min mogelijk te beschadigen. Iemand heeft die bok getimmerd en op houtblokken gezet.

Wij weten niet waarom er zoveel verdriet is op de wereld. Maar er is ook liefde op de wereld. Dat weten we en daarop kunnen we vertrouwen. Is dat niet genoeg?

Ik weet niet of het huis zal blijven staan. Mijn broer zegt dat er nog cederhouten planken zonder noesten in het souterrain staan. De muren beneden zijn bekleed met lambrisering van ceder. Als een projectontwikkelaar het huis afbreekt, hoop ik dat iemand het hout nog kan redden. Ik hoop dat ze de boom in leven laten. Maar wat er ook gebeurt, ik vertrouw erop dat de Liefde bestaat. En ik wil het soort ogen hebben waarmee ik nog meer bewijzen daarvan kan zien.

Aan het meer van het

groene keteldal; een queeste

ANDREW GREIG

Oorspronkelijk verschenen in *The Way to Cold Mountain: A Scottish Mountains Anthology*. Red.: Alec Finlay. Pocketbooks, 2001.

Voordat Andrew Greig zich in 1983 volledig op het schrijven toelegde, werkte hij in de reclamewereld, als landarbeider en als visser. Greig is dichter en romanschrijver maar heeft ook twee non-fictiewerken op zijn naam staan. Zijn meest recente roman *In Another Light*, uitgekomen in 2004, won de Saltire Society Prize for Book of the Year. Hij is getrouwd met de schrijfster Lesley Glaister en woont in Orkney en in Sheffield, Engeland.

Het was de laatste keer dat ik Norman MacCaig zag, even na middernacht in zijn appartement, en de fles Glenmorangie was bijna leeg. We hadden het gehad over vissen, over de Highlands, over alle plekken waar hij nooit meer naartoe zou kunnen. Overal om ons heen boeken en foto's, herinneringen aan een leven.

Ik vroeg zonder erbij na te denken: 'Wat vind jij de mooiste plek op de hele wereld?' Lange stilte. Het grote hoofd draaide mijn kant op. 'Assynt.' 'Ja, dat weet ik,' zei ik. 'Maar waar precies?' Een langere stilte. Mijn blik dwaalde af naar de schoorsteenmantel met foto's van MacDiarmid, van Normans grote vriend A. K. McLeod, en eentje van vier stralende mannen van aanzien: MacCaig, Sorley McLean, Iain Crichton Smith en Seamus Heaney. Ik had het altijd een prachtige foto gevonden vanwege de kameraadschap die eruit sprak, de warmte en het respect tussen vier creatieve persoonlijkheden die zo totaal verschillend waren.

'Het meer van het groene keteldal,' zei Norman uiteindelijk. Stilte. 'Het heet vast anders.' Stilte. 'Als je naar Lochinver gaat en naar Norman MacAskill vraagt, zegt hij je wel waar het is, áls hij je tenminste aardig vindt. Ik zou het fijn vinden als je daar zou gaan vissen, voor mij. Ik zou dolblij zijn als je wat zou vangen.

Zo niet…' Stilte. Een dichter moet over een perfect gevoel voor timing beschikken, net als een cabaretier. '… dan zal ik vanaf een plek waar ik niet in geloof op je neerkijken en me verkneukelen.' Niet veel later namen we afscheid. De laatste woorden die mijn vader tegen me had gesproken waren: 'Bedankt dat je me bent komen opzoeken.' Norman zei alleen: 'Dag-dag.' Echt iets voor hem, bedankt en welterusten tegelijk. Maar ik was opgezadeld met een taak, een queeste, een eerbetoon.

Zovele zomers

Naast het ene meer, het sierlijke skelet van een hinde,
Naast een ander een boot, op het droge:
Twee geometrische vormen in het weer:
Twee voorwerpen, dood en nog stervende.

Elke zomer kwam ik erlangs, stokje in de hand,
Volgde felblauwe, loodgrijze contouren,
Zag, elke zomer, het uitgebleekte karkas
Verder openbarsten, de ribben weggevallen.

De tijd stapelt wrok op wrok –
Je moet nu heel goed kijken om te zien
Dat het de boot is die rent, de hinde die vaart.
Zovele zomers, ik heb ze ook beleefd.

Van alle bergen in Schotland zijn de Assynt de merkwaardigste, die me het meest na aan het hart liggen. Je kunt misschien niet spreken van verweerde rotsen, maar wel van verweerde bergen. Cul Mor, Cul Beag, Stac Polly, Canisp, Ben Mor Assynt, Suilven – elk rijst in zijn eigen imposante, indrukwekkende isolement op uit een donker moerasgebied met ontelbare kleine meertjes. Stuk voor stuk getekend, maar even aanwezig als de vier oude mannen van formaat op Normans foto – in verval, prachtig. Drie jaar na MacCaigs dood reed ik dan eindelijk met mijn vismaatjes, de broers Dorward, langs Inchnadamph, Loch Assynt en de Quinag – een soort ingezakte tent van steen. Het was een heldere middag in juli. De auto lag vol tenten, tassen, eten en visgerei. We waren er klaar voor.

Ik zette de auto in Lochinver, naast de praktijk waar mijn vader na zijn pensionering een tijdje als plaatsvervangend arts had gewerkt – de oorsprong van mijn band met Assynt. Ik was net op weg naar de toeristeninformatie toen mijn oog op de etalage van een slagerij viel: A. MacAskill. Ik ging naar binnen, vroeg of ze wisten waar Norman woonde. Natuurlijk. De jonge vrouw legde me uit hoe ik er moest komen. 'Ik verwacht dat hij wel thuis is.'

Ik belde aan. Wachtte. Ik was gespannen. MacCaigs 'áls hij je aardig vindt', flitste door mijn hoofd. Na een poosje deed hij de deur open – een lange, al wat oudere, rustige man die me van top tot teen opnam. 'Ja?' 'Ik ben Andrew Greig,' zei ik. 'Ik ben hier vanwege Norman MacCaig.' Een lange stilte, een doordringende blik. 'Kom verder.'

We gingen in de woonkamer zitten en keken elkaar aan. Ik lichtte mijn queeste naar het groene keteldal toe, de zoektocht waarmee MacCaig me had opgezadeld, mijn poging om achter de ware naam en de ligging te komen. 'Áls hij je aardig vindt,' liet ik achterwege. Norman MacAskill is een man van weinig woorden, van lange stiltes en een slecht gehoor. Tel daar mijn eigen nervositeit bij op en je krijgt een nogal afschrikwekkend geheel. Ik deed mijn uiterste best om niet te gaan ratelen als een overenthousiaste journalist uit de grote stad die Normans herinneringen wilde uitmelken.

Toen ik uitgepraat was keken we elkaar aan. Een lange stilte. 'Kende je Norman goed?' Ik probeerde zowel ja als nee te antwoorden. Ik had hem langer dan dertig jaar gekend maar hij was natuurlijk erg eenzelvig, al kon hij nog zo sociaal zijn. Ik zou niet durven beweren dat ik hem echt goed had gekend, maar ik had hem bij sollicitaties als referentie opgegeven en we zagen elkaar vaak bij lezingen en tijdens de laatste jaren van zijn leven was ik vaak bij hem thuis geweest… Ik was aan het ratelen. Ik hield mijn mond. We bleven zitten en keken elkaar aan.

'Norman ging vaak vissen in de meren van Assynt. Vaker dan wie ook, nu ik er goed over nadenk. Het meer van het groene keteldal…' Stilte. Kom op nou, kom op nou. Zeg het me. 'Daar gingen we altijd heen met A.K. McLeod.' 'Weet ik,' zei ik, 'dat heeft hij me verteld. Het was echt zijn lievelingsplek.'

Lange stilte. Bijzonder lange stilte. Ik had me vast voorgenomen niets te zeggen. Uiteindelijk keek Norman MacAskill me recht in mijn ogen. 'Ik mis hem,' zei hij alleen maar. 'Ja,' zei ik, 'ik mis hem ook.' En zo bleven we zitten.

Na lange tijd haalde hij een potlood uit zijn borstzakje. Ik sloeg mijn kaart open. Het potlood bleef boven het papier hangen. Hij zette zijn bril op en keek nog eens goed. Kom op nou, kom op nou! En dan, geweldig, het potlood zakt iets, een kruisje markeert de plek. 'Hier.' Mooi! 'Het is een steile klim. Als er een oostenwind staat hoef je het niet eens te proberen. We gebruikten grote vliegen, maat tien tot twaalf, meestal Black Pennel of Zulus.' Ik hoorde hem al bijna niet meer en mijn hoofd tolde nog van opluchting toen ik vertrok.

Een meer in de moerassen aan de Kylesku-weg. We klauterden over platgebrande stukken bos, over heide en door veengeulen en sloegen toen ons kamp op. Een glas Glenlivet, altijd zoveel lekkerder in de buitenlucht. 's Avonds nog even vissen. Vijf forellen, allemaal kleintjes, maar dat telde niet omdat dit niet het meer van het groene keteldal was. Ik viel in slaap met boven mijn hoofd het klapperende tentdoek, en ik dacht aan de Himalaya, aan MacCaig en aan flarden van zijn gedichten die geschreven leken te zijn voor dit ruige, vervallen landschap.

De volgende ochtend. Een steile klim, zeg dat wel. Geen wonder dat MacCaig er niet langer naartoe had gekund. Het was eerder een wonder dat hij die plek ooit had gevonden. Door steile geulen en over hellingen, ruig en bezaaid met zwerfkeien. Zwetend met onze lunch en ons visgerei in de rugzak. Met in gedachten het trio van de beide Normans en A.K., die dertig jaar geleden opgetogen dezelfde weg hadden afgelegd. Langs een net-werk van meertjes. De ene na de andere geul. En dan nog weer verder, totdat we er twee uur later waren.

Het is inderdaad een juweeltje. Ja, ruw groen gras en stroken grijs puin. Gevangen in een kom, afgeschermd, verstild in een ge-heel eigen wereld. In de verte Quinag. Verder niets. We zetten onze hengels in elkaar en gingen aan de slag. Er stond – hoe kan het anders – een stevige oostenwind, en op zeshonderd meter hoogte werd het behoorlijk fris toen de zon schuilging achter de wolken.

Na vijf minuten voelde Peter Dorward een rukje aan zijn hen-gel, maar hij had niet beet. Hij trok zijn schouders op en gooide met een behendige zwaai zijn hengel weer uit. Hij leerde vissen van zijn vader en heeft een sierlijke worp. Komt uit Strathkiness en werkt nu als arts in Londen. Hij is ook schrijver – zijn bril-jante verhaal over de liederlijke nadagen van Oor Wullie en zijn kornuiten veroorzaakte zo'n controverse dat het weer moest wor-den ingetrokken nadat D.C. Thompson had gedreigd juridische stappen te ondernemen. Zijn broer Andrew had zich op de uni-versiteit van Edinburgh erg ingezet voor de Poetry Society en Po-lygon en stond nu aan het hoofd van Bol.com New York. Ont-zettend eenentwintigste-eeuws, heel anders dan het tijdperk en de vrienden van MacCaig. Maar toch zaten we daar omwille van hen te vissen in het meer, en ook onze gevoelens van trouw en verbintenis gaan heel diep.

We vissen, we pauzeren, we vissen. Er gaan vele uren voorbij terwijl we proberen het hele meer te bestrijken. Een paar keer te vroeg opgehaald en daarna niets meer. 'Oostenwind – zinloos.' Het is koud als de mist komt opzetten, als de wolken het ketel-dal in drijven. Geluiden van water, de wind in het gras, af en toe een schrille kreet van een eenzame roofvogel. Het meer van het groene keteldal begint me in zijn greep te krijgen. De helling aan de overkant rijst op als een verstilde grijsgroene golf die elk mo-ment kan omslaan. In gedachten zie ik hoe de beide Normans en A.K. hier hebben zitten vissen, op mooie en minder mooie dagen. Volgens MacAskill was MacCaig ongekend geestig en inventief in het beschimpen van iemand die er niet in slaagde zijn vis binnen te halen.

'Als je vissen alleen maar leuk vindt als je iets vangt, kun je beter niet gaan vissen,' zegt Peter als we onze spullen weer inpakken. Hij heeft gelijk, want hoewel we niets hebben gevangen was het een prachtige dag. Ik herinner me dat ik MacCaig een jaar voor zijn dood vertelde dat ik de knoop had doorgehakt en had besloten me volledig op het dichten te storten nadat ik in de *Weekend Scotsman* vier van zijn Assynt-gedichten had gelezen, zo rond 1968. Een van die gedichten, 'Onbetaalbaar', is me altijd bijgebleven. 'O, ja?' zei MacCaig spottend, 'hoe ging het dan?' Een feilloze radar voor slap gelul. Gelukkig kon ik het nog in zijn geheel reciteren, daar in de Auld Toll Bar in Bruntsfield.

Onbetaalbaar

De hele dag gevist
Het meer bij de keel gegrepen
van de schriele berg Canisp
gevangen forel en
onzichtbare schatten

We liepen naar huis, berooide miljonairs,
onze gedachten buitelend, vingers
ruisend door de lucht.

En nu, liggend in het warme zand
zien we
de rand van de volle maan
rustend op een golfstructuur van water
aan de voet van
een tinkleurige wolk:
zee en lucht, een gouden soeverein
die nooit wordt uitgegeven.

Norman keek me aan. Ik durfde te zweren dat hij ontroerd was. Dertig jaar na dato werd er een van zijn gedichten voorgedragen. Hij pakte zijn whisky. 'Niet slecht,' zei hij. Nam een slok. 'Ik vond het mooi.' Gek genoeg lijkt het in geen van zijn *Verzamelde Gedichten* te staan.

We pakken onze spullen en dalen de onherbergzame hellingen af. Als we bij onze tenten zitten te koken, bespreken we de dag die achter ons ligt en besluiten de volgende ochtend opnieuw te gaan. Misschien is de wind dan gedraaid. We zijn het verleden nog een dag verschuldigd.

Na het eten en de Glenlivet komt het gesprek op de dood (we zijn rond de vijftig, de leeftijd waarop je echt doordrongen begint te raken van de tijdelijkheid van het bestaan). Peter zegt dat hij absoluut niet gelooft in een leven na de dood. Maar iets van hem zal voortleven in de mensen die hij heeft beïnvloed, ontmoet, gesproken, liefgehad. Zijn vrouw en kinderen, zijn vrienden. 'Voor mij is dat onsterfelijk genoeg,' besluit hij. 'Genoeg om mijn best te doen een goed mens te zijn.' We drinken whisky en kijken uit over het steeds donkerder wordende meer en ik bedenk dat MacCaig, die ook niet in een leven na de dood geloofde, die visie zou onderschrijven en toejuichen. En dat hij inderdaad voortleeft, in het meer van het groene keteldal, in de gedachten van eenieder die herinnering koestert aan hem of aan fragmenten van zijn gedichten. Daar zal hij het mee moeten doen.

De volgende dag werken we ons weer in het zweet om het loch te bereiken, met nog altijd een noordoostenwind. Op weg ernaartoe springen tientallen kikkertjes op in het ruwe gras. Tijdens de laatste lezing die ik MacCaig heb horen geven, zittend op een stoel, eindelijk dan toch oud en kwetsbaar, zei hij: 'Als ik dood ben, wat niet lang meer kan duren – zal ik waarschijnlijk bekend komen te staan als de kikkerdichter. Men zal zeggen dat ik een hele hoop gedichten heb geschreven over kikkers. Dat is ook zo. Ik houd van kikkers. Dit is een gedicht over een kikker...' Ik buig voorover en neem er eentje in mijn handpalm. Ik kijk aandachtig naar hem, het kloppen van zijn keel. Hij springt uit mijn hand en is verdwenen, maar hij heeft mijn hart vervuld van vreugde.

We zetten onze hengels in elkaar en vissen de hele dag in het verweerde landschap. Een beetje zoals de dag ervoor – wolken, zon en wind. De frisse bries houdt in elk geval de muggen en de vissen in de baai. Ik moet veel aan Norman denken, aan zijn streken, zijn goedmoedigheid. Zijn sociale kant en zijn in zichzelf gekeerde kant. Zijn bescheidenheid en zijn trots. Zijn openlijke scepsis over filosofie en zijn metafysische aanleg. Zijn vriendschap met Chris Grieve die in de persoon van Hugh MacDiarmid over zoveel eigenschappen beschikte waar MacCaig van gruwde – bombast, zelfingenomenheid, onevenwichtige filosofieën, agressieve rivaliteit, onnavolgbaarheid. Misschien zouden we allemaal tegendraads en tegenstrijdig genoemd kunnen worden, maar als dat voor íémand gold was het wel voor Norman MacCaig.

De dag verstrijkt. We werpen, halen in, werpen. Ik krijg het gelukkig een beetje onder de knie, mijn lijn raakt niet meer elke keer verstrikt, blijft ondanks de windvlagen niet steeds weer aan mezelf of aan de oever hangen. Toen mijn vriend Mal Duff op de Everest om het leven kwam, was mijn leerperiode nog niet ten einde. Zoveel leraren, zoveel geesten achter me. Het meer van het groene keteldal krijgt me steeds meer in zijn greep. We koken, eten, luieren wat en gaan weer aan de slag. Niets. Niet één rukje, niet één keer beet. MacCaig zit zich te verkneukelen in de hemel waarin hij niet eens gelooft.

De avond valt. Het begint te schemeren. We zijn het erover eens: nog tien minuten en dan gaan we. We vissen met frisse moed en bedenken wat een fantastisch verhaal het zou zijn als we op de valreep iets zouden vangen, zoals Frankrijk nog net wist te scoren in de laatste seconden van de Europacupfinale die we een paar dagen eerder hebben gezien. Maar nee. Uiteindelijk halen we in. Kijken om ons heen. Halen onze hengels uit elkaar en dalen af in het opkomende duister. We zijn moe en teleurgesteld, maar hebben geen spijt. We hebben nu al besloten volgend jaar terug te gaan, als de wind uit het westen komt en de muggen steken. En de vissen bijten.

De oude Birmaweg

WENDY LAW-YONE

Wendy Law-Yone is de auteur van *The Coffin Tree* en *Irrawaddy Tango*. Ze werkt momenteel aan *The Old Burma Road*, enerzijds het verhaal van haar beide opa's – de een Brits, de ander Chinees – en anderzijds de geschiedenis van de meest schilderachtige weg ter wereld, die door dik duizend kilometer onherbergzaam terrein van China naar Birma loopt. Law-Yone is genaturaliseerd tot Amerikaanse en woont in Engeland.

De weg was een relikwie, een artefact dat nog maar sinds kort voor het publiek toegankelijk was. Na bijna een halve eeuw voor de buitenwereld te zijn afgesloten was deze weg, die van grote historische waarde was, opnieuw in bedrijf en ik wilde hem van het begin tot het einde af rijden om hem te zien zoals hij vroeger was, vóór de veranderingen die zich vrijwel onvermijdelijk na de heropening zouden voltrekken. De weg lonkte ook om een andere reden. Hij liep door het zuidwesten van China tot aan de grens met Birma, waarachter een thuis lag waar ik in geen jaren meer was geweest en misschien ook wel nooit meer zou komen. Want hoewel ik in Birma was geboren en getogen had ik het land een jaar of dertig daarvoor verlaten en was om diverse redenen – van politieke, praktische en spirituele aard – nooit meer teruggekeerd. Zodoende was de weg een relikwie die naar een andere relikwie leidde, eentje die nog verscholen lag.

In het boeddhistische Birma, waar bij bedevaartsoorden vaak schildpadden over de grond kruipen, zegt men wel dat mensen die werk en privé niet gescheiden weten te houden 'schildpaddeneieren zoeken terwijl ze een heiligdom betreden'. Zo zijn de Birmanen – ze worden tegelijkertijd aangetrokken door het wereldlijke en het bovennatuurlijke, het sacrale en het profane. Indien nodig mengen monniken zich in de politiek, nemen de wapenen op, veranderen van de ene op de andere dag van iemand die het aardse de rug heeft toegekeerd in een lawaaierige activist. Zowel in de stad als op het platteland zijn de zwaar opgemaakte, verleidelijke mediums tijdens pagodefeesten vrijwel altijd travestieten. In het klassieke poppentheater, op het podium van het openluchttheater, loopt een dunne scheidslijn tussen de religieuze drama's van de *Jakata* en de volksere traditie van de klucht. In hun zoektocht naar verlossing leven de vrome Birmanen naar de gulden regel 'een beetje geloven, een beetje genieten'.

Het wekt dan ook geen verbazing dat de pelgrimage als *via dolorosa* – de weg van afzien en penitentie die de boeteling moet afleggen – of de pelgrimage als *parikrama* – op je knieën rond een heiligdom kruipen – geen Birmaanse gewoonte is. De Birmaanse manier, met pauzes en een voorbijgaan aan de beproevingen, komt dichter in de buurt van Chaucer dan van Dante. De weg naar het nirwana is moeilijk genoeg, niet alleen geplaveid met verlokkingen maar ook met echte doornen. 'Staar je niet blind op karma', luidt een ander verstandig gezegde, 'want voor je het weet stap je in een doornenstruik'.

Vanuit boeddhistisch perspectief zou het wel te rechtvaardigen zijn om mijn reis over de oude Birmaweg een bedevaarttocht te noemen, maar vanuit christelijk perspectief is het bijna heiligschennis. Ten tijde van de pelgrimages in de late middeleeuwen zouden mijn beweegredenen, die meer gestoeld zijn op nieuwsgierigheid dan op godvruchtigheid, als moreel verwerpelijk worden beschouwd. Om met Thomas à Kempis te spreken zou ik zo iemand zijn die 'zich laat leiden door menselijke nieuwsgierigheid en de zucht naar het nieuwe, en [die] bescheiden vruchten van vernieuwing mee naar huis neemt, met name als het iemand is die zonder wezenlijke boetvaardigheid lustig van de ene plek naar de andere trekt'.

Maar voor mijn unieke bedevaart moest ik wel van de ene plek naar de andere trekken. Uniek, niet alleen vanwege het areligieuze oogmerk, maar ook omdat het doel van mijn reis, het heiligdom, de bedevaartsroute zelf was: de stenen overblijfselen van de 1154 kilometer lange weg.

Anders dan de meeste mensen denken loopt het grootste deel van de Birmaweg door China en niet door Birma, dus om dat deel van de weg van dichtbij te kunnen zien is het noodzakelijk om naar China te gaan. Eenmaal in China aangekomen kan het nodig zijn om te jodelen.

Lao lu! Lao lu! jodelde ik bij de eerste aanblik van dit oude relikwie. (*Oude weg! Oude weg!*) Ik zat samen met mijn vrienden Bertil en Hseng Noung Lintner in een Peugeootje met de kleur van een oude, vergeelde tand. Bertil zat voorin, Hseng Noung en ik achterin. De Lintners waren wegveteranen. Bertils stukken in de *Far Eastern Economic Review* over de Birmaanse opstanden – waarvan er zoveel langs de weg waren uitgevochten – werden gezien als verplichte kost voor iedereen die serieus in het gebied was geïnteresseerd. Er stonden vaak foto's van Hseng Noung bij zijn artikelen.

Meneer Hua, onze chauffeur, was ook een wegveteraan. Hij was motorcoureur van beroep en verdiende wat bij als taxichauffeur op lange ritten. Mijn eigen verdiensten waren van bescheiden aard, hoewel niet onbelangrijk. Ik had een Chinese woordenschat van vier woorden: *lao lu!* (oude weg), *cèsuo!* (toilet) en *foot-oh!* (fotostop). Daarnaast had ik wat adviezen gekregen van een Amerikaanse officier die vertrouwd was met de weg, of in ieder geval met de reputatie van de weg.

'God zij met je,' zei hij toen ik vertelde dat ik overwoog per bus de weg te volgen. 'Zorg er in elk geval voor dat je een Mark Cross-pen bij je hebt. Laat die pen aan de buschauffeur zien en zeg dat hij hem krijgt als hij je levend bij de grens afzet. Als je eenmaal in de bus zit, zorg dan dat je een stoel in het midden hebt – dat wil zeggen, overdag. Zodra het donker wordt, moet je aan de zijkant gaan zitten, bij een raampje. Op die manier verklein je overdag de kans om te worden geschampt door een tegemoetkomende vrachtwagen, en 's nachts de kans om gewond te raken als er bij een frontale botsing met een vrachtwagen een reusachtig stuk hout door het midden van de bus schiet.

'O ja, wanneer je ook moet oppassen,' zei hij, 'is als de chauffeur doet alsof de bus maar twee snelheden heeft. Zodra je merkt dat hij 170 rijdt en vervolgens met de motor in zijn vrij heuvelafwaarts gaat totdat de bus langzaam tot stilstand komt, moet je hem in een wurggreep nemen. Dat is de enige manier om hem tegen te houden. Als de bus kantelt moet je hem die Mark Cross-pen niet geven.'

Hseng Noung en ik klopten meneer Hua op zijn rug. We maakten gebaren. We wezen naar buiten. In onze ijver zouden we ook het stuur nog voor hem hebben willen vasthouden. We zagen de oude weg parallel aan onze weg lopen, iets naar links: een zwart riviertje, aan beide kanten omzoomd door schaduwrijke cipressen. Op de trage stroming dreef nu eens een vrachtwagen en dan weer een ossenwagen, en heel af en toe een paar fietsen.

Meneer Hua probeerde ons te negeren. Met zijn elleboog uit het open raampje en de wind in zijn haren genoot hij van de weidsheid van de weg, na de dichtgeslibde stedelijke omgeving van Kunming. Waarom zou je in godsnaam een oude weg nemen als je ook over een gloednieuwe supersnelweg kon rijden? Over niet al te lange tijd zou er hoe dan ook een einde komen aan deze schitterende nieuwe snelweg en was de oude weg de enige mogelijkheid om verder te rijden. Het weggetje liep enkele kilometers pesterig met ons op, soms vlak naast ons, maar soms ook geheel uit het zicht verdwenen, om plotseling rechts van ons weer op te duiken, naar links af te buigen en weer enige tijd uit het zicht te verdwijnen. Bertil, een Zweed, zei dat we geduld moesten hebben. 'Vanwaar die haast?' zei hij, vanaf zijn comfortabele stoel voorin, leunend tegen zijn tas met boeken. 'We kunnen nog vijfhonderd kilometer over die weg rijden.' Hseng Noung en ik, Birmanen, hunkerden naar een onbelemmerd zicht op een onvervalst Birmaans relikwie.

'*Lao lu! Lao lu!*' drongen we aan.

Meneer Hua gaf zich gewonnen. De volgende afslag van de snelweg voerde ons naar een T-splitsing. Daar draaide hij zich om in zijn stoel en zei, met het zwierige gebaar van een butler: '*Lao lu!*' De weg wordt opgediend.

De oude weg lag te glinsteren. Het oppervlak leek in zijn geheel met de hand gelakt, of glanzend gemaakt met een chemisch middeltje. Overal waar de weg in een v naar de horizon liep werd hij geflankeerd door cipressen, kaarsrecht en keurig op gelijke afstand van elkaar, en felwit geschilderd aan de onderkant. Maar waar was de Birmaweg uit de bioscoopjournaals van tijdens de Tweede Wereldoorlog gebleven – de reusachtige python die zich tussen de wervelkolom van bergkammen door kronkelend en slingerend een weg baande? Waar was de weg gebleven die in de ruige bergen was uitgehouwen en waar een vrachtwagen, vanuit de lucht gezien, nog het meest deed denken aan een mier die over een golfplaat kruipt?

'Glad als een slijpsteen en recht als een pijl,' pocht een gedicht uit de negende eeuw voor Christus over de wegen van de Chou-dynastie. Dit was net zo'n weg: spiegelglad en kaarsrecht, zo ver het oog reikte.

Maar niet voor lang. Niet voor lang.

Toen de Japanners in 1937 China binnenvielen en zowel de haven als de kuststeden in het oosten afgrendelden, konden de Engels-Amerikaanse bondgenoten China alleen nog bevoorraden via Birma: eerst per schip naar de haven van Rangoon en vervolgens per trein naar het eindpunt van de spoorweg in Lashio, in de Shan-staten in het noordoosten. Daar werd het materieel op vrachtwagens geladen voor de lange tocht door China: op en neer door de bergen van Yunnan, over haarspeldbochten en ongenummerde slingerweggetjes, over twee reusachtige rivieren, de Salween en de Mekong, helemaal tot aan de hoofdstad Kunming. Deze gevaarlijke, kronkelende en adembenemend mooie weg was aangelegd door zo'n 160.000 mannen, vrouwen en kinderen, die werden gedwongen zich hakkend en hamerend een pad te banen door een stugge, ondoordringbare jungle vol rotspartijen – vrijwel zonder gereedschap. Om de woorden te gebruiken van een documentaire uit de oorlogsjaren over de *Burma Campaign* werd de weg aangelegd door mensen die 'met hun nagels de heuvels afkrabden'.

Tijdens mijn jeugd in de hoofdstad Rangoon probeerden we 's zomers in de koele heuvels vol naaldbomen in de Shan-staten aan de hitte te ontsnappen. Die heuvels lagen net over de grens, ten westen van de weg, en het uitzicht destijds vanuit de trein was precies hetzelfde als de vergezichten die ik nu voor me had. Ik herkende de heuvels – vaalgroene, donkergroene, blauwzwarte hellingen –, deinend in dezelfde zee van nevelen. Ik herkende de rijstterrassen – op sommige plekken smal en stijl, als de treden van een Mayaruïne, op andere plekken breed en zacht glooiend, als de wijngaarden van Toscane. Ik zwaaide naar de boeren met hun tulband, die over hun gewassen gebogen stonden. Ik zwaaide naar de vrouwen die zich moeizaam voortbewogen met reusachtige manden op hun rug, manden die op hun hoofden waren gebonden. Ik zwaaide naar de karbouw die tot aan zijn neusvleugels was weggezakt en een droeve aanblik bood – alsof hij zich uit plichtsgevoel verdronk in een greppel. Ik zwaaide naar alles en iedereen, alsof we oude vrienden waren.

Toen hield ik op met zwaaien, omdat het me beetje bij beetje minder en minder vertrouwd voorkwam. De dorpen, zag ik nu, waren heel anders dan de dorpen die ik als kind had gekend. Die hadden bestaan uit armoedige, scheefgezakte strohutjes op palen – wankel, geïmproviseerd, volkomen overgeleverd aan de elementen. Het waren eigenlijk niet meer dan speelhuisjes geweest, omheind door muren van bladeren en ranken: vergankelijk, als het leven zelf – als het leven na het leven na het leven zelf, zoals elke boeddhist zou begrijpen. De boerenhuizen hier waren veel robuuster, met hoge lemen muren en stevige pannendaken – degelijker, geaarder. Maar evengoed bij elkaar gekropen, hun stekels opgezet, hun hakken in het zand – hun rug naar de weg, naar de wereld met zijn eeuwige vijandelijkheden.

Je leest wel eens over de band die de Australische Aboriginal heeft met zijn land, zijn geboortegrond als een levende stamboom, de bergen en waterpoelen, de vlakten en beken, die meer zijn dan natuurschoon omdat ze tot stand zijn gekomen door toedoen van zijn voorvaderen. Je bent geneigd te vergeten dat dat voor ons allemaal geldt: zelfs – of misschien juist – voor bannelingen. *Ik ben een vreemdeling op deze grond... ver verwijderd van mijn verwanten.* Maar in werkelijkheid waren de vruchtbare heuvels en valleien van het Yunnanese platteland me allesbehalve vreemd. Dit was de provincie waar mijn grootvader van vaders kant was geboren, die zoals zovele van zijn rusteloze familieleden aan het begin van de eeuw naar Birma was gegaan in de hoop daar het geluk te vinden, en om zijn diepgewortelde nomadenaard te bevredigen.

Hij trouwde er met mijn grootmoeder, een Birmaans meisje uit de buurt, en ze gingen in Myitkyina wonen, in een grote bungalow van mest en hout, met uitzicht op de Irrawaddy. Opa Tong was al lang voor mijn geboorte overleden, inmiddels was aan beide kanten van de rivier de wereld op zijn kop gezet, was mijn vader ook allang dood, zonder ook maar enige gegevens over zijn Yunnanese afkomst achter te laten, zonder ook maar een enkele verwijzing naar de geboortegrond van zijn vader – zelfs zijn naam niet, want die had hij al in zijn schooltijd veranderd.

Maar hier waren dan de beelden van het geboorterecht van mijn opa. Deze blauwige bergen en mosterdgele weiden, deze stukjes rode aarde waar de groene huid van de heuvels was afgestroopt, deze beschutte riviertjes die aan de monding drabbig flamingoroze werden – allemaal voorouderlijke kleuren. En deze weg was de stempel, diep en waarheidsgetrouw, van mijn levende stamboom.

'Foot-oh! foot-oh!' riepen we, waarop meneer Hua wel moest stoppen. We kwamen in de buurt van een handelspost langs de weg

– waar deze keer toevallig kastanjes werden verkocht – waarop de eerste file zich aandiende. Hseng Noung rende met haar camera op het tafereel af. Ik telde: een grote zeegroene vrachtwagen, een dieplader, twee ossenkarren, een bus, een stel door paarden voortgetrokken rijtuigjes waarvan de bankjes een psychedelisch paisleymotief hadden, een stoet ezels, twee tractors met elk een stuk of tien staande passagiers; drie sputterende apparaten die veel weg hadden van een grasmaaier zonder snijbladen en die elk drie passagiers vervoerden. De hoeveelheid fietsen, met voorop een mandje met fruit, groenten en soms een kind, was ontelbaar. De handelaren, elk met een berg kastanjes, blokkeerden de weg. Het onsamenhangende groepje dat de rij sloot, bestond voornamelijk uit stokoude mensen. En blinden. Oude mannen die zich tikkend met een bamboestok een weg door de menigte probeerden te banen. Oude vrouwen, halfblind, halfdood, maar nog wel altijd met een last op hun rug, schuifelden door de greppel. In de berm scharrelden kinderen rond te midden van vee dat uitsluitend zwart leek: zwarte geiten, zwarte varkens en zwarte kippen.

Het enige wat er nog aan ontbrak was een spandoek boven de weg met als tekst: OUDE HANDELSROUTE.

De naam Yunnan betekent zoiets als 'ten zuiden van de wolken' – wat volgens sommigen zou verwijzen naar de bewolkte Himalaya in het noordwesten. In ieder geval impliceert het afzondering, afstand, ruimte. Tot aan de Ming-dynastie (1368-1644), toen Yunnan eindelijk werd ingelijfd bij het Chinese rijk, was het de voorpost van de barbaren die het land wilden binnendringen, de verblijfplaats van inheemse stammen van Tibetaanse oorsprong, waarvan de stamhoofden ofwel de keizer negeerden, ofwel zich openlijk verzetten tegen de keizerlijke heerschappij. In latere eeuwen was Yunnan het Siberië van China – zij het met een milder klimaat – waar dissidenten en parvenu's naartoe werden verbannen. Door dit afgelegen en onrustige grensgebied liep de zuidelijke zijderoute, die zo'n tweehonderd jaar ouder scheen te zijn dan de noordelijke pendant, het netwerk van handelsverbindingen dat gek genoeg bekendstaat als de oude zijderoute. Zijde, vele eeuwen China's voornaamste exportartikel, was niet het enige product dat werd vervoerd door karavanen van kamelen die door het zand van de woestijn en de ijzige bergpassen van de noordelijke route zwoegden. Hoewel het Engelse woord *trade* afstamt van *trada*, een Oud-Saksisch woord voor voetstap, was er niet alleen sprake van handel in goederen tussen het Oosten en het Westen, maar tevens van een uitwisseling van ideeën en geloofsovertuigingen door de boeddhistische pelgrims en missionarissen die zich omwille van de veiligheid bij een georganiseerde karavaan aansloten – en als het ware in de voetsporen van de handel traden.

Langs deze oude routes, uitgesleten door de gestage voetstappen van handel en bekering, verspreidde het boeddhisme zich voor het eerst naar China. Pelgrims als Fa Xian (334-420 n. Chr.) gingen op weg naar India, op zoek naar religieuze richtsnoeren en geschriften om – in het geval van Fa Xian vijftien jaar later – terug te keren met nieuwe religieuze traktaten en iconen uit India, nieuwe theorieën op het gebied van astronomie, mathematica, geneeskunde en filosofie. En lang voordat deze pelgrims met hun verzameling huiswaarts keerden, rond de tweede eeuw voor Christus, ten tijde van Han Wu Ti, hadden Chinese regeringsboodschappers al de gewoonte om uitheemse planten en andere curiosa te verzamelen, zodat 'van alle kanten specimina van merkwaardige voorwerpen' de wereld van de vroege historicus binnendrongen. De eerste karavanen van China naar Iran stammen uit de tijd van het bewind van Wu Ti en volgen op een opmerkelijke ontdekking door een van zijn afgezanten – de ontdekking van een reeds bestaande handelsroute tussen Szechuan en India. Die route liep via Yunnan en Birma – exact de route die het grootste deel van de Birmaweg volgt.

'*Lacang, Lacang!*' Meneer Hua attendeerde ons op de weidse loop van een zanderige rivier. De Mekong! We bevonden ons in een oogopslag midden in de tropen. De lucht die door de wind werd meegevoerd was zwoel en drukkend, en op de dichtgeslibde oevers groeiden bananenplanten, weelderig als bamboe. En daar was dan eindelijk de oude hangbrug, even vertrouwd en versleten als een roestig stuk meccano – de kleine, gammele brug die volgens plaatselijke geschiedkundigen veertien Japanse bombardementen had overleefd.

Het vakmanschap van de Chinese bouwkundigen in oorlogstijd was nog wel het meest manifest bij het aanleggen of repareren van bruggen. Omdat in China de technische termen nog niet waren gestandaardiseerd en omdat de arbeiders zoveel verschillende talen spraken, kon een reparatie in principe eeuwen duren. Maar dat probleem hadden de bouwkundigen ondervangen door voldoende reserveonderdelen op voorraad te hebben om desnoods een hele brug te kunnen namaken, en elk onderdeel te voorzien van een gedetailleerde tekening zodat elke arbeider in een oogopslag kon zien hoe en waar het gemonteerd diende te worden.

De bom was nog niet ingeslagen of bouwkundigen, voormannen, arbeiders en manusjes-van-alles kwamen aanrennen om de brug te herstellen – en naar goed Chinees gebruik klonk ook vrijwel direct het gepruttel van geïmproviseerde keukens om de ploegen van eten en drinken te voorzien –, soms zelfs al terwijl de bommen nog uit de lucht vielen.

We klommen steeds hoger, de weg slingerde een door wolken verstikte jungle binnen, de bomen aan de kant van de weg hadden het moeilijk en sméékten bijna om een beetje licht met hun uitgestoken takken – en ondertussen slonk de reusachtige Mekong tot een glinsterend streepje onder ons in het ravijn. Toen we uiteindelijk het hoogste punt van de weg naderden (2500 meter of 2800, al naar gelang de metingen uit verschillende eeuwen) hield ik het niet langer.

'Bertil,' zei ik, 'ligt het aan mij of gaat meneer Hua echt sneller rijden als hij een bocht neemt?'

'Nee, je hebt gelijk,' zei Bertil. 'Hij rijdt inderdaad sneller.'

'Maar Bertil,' zei ik, 'het is toch niet de bedoeling dat hij in de bocht harder gaat rijden?'

'Dat lijkt me niet, nee.'

De Lintners, zo begon me te dagen, waren geen ideale reisgenoten voor iemand die bang is aangelegd. Een paar jaar daarvoor hadden ze geschiedenis geschreven toen ze door onontgonnen gebied in Noord-Birma waren getrokken, van Calcutta naar Kunming – dwars door de oorlogsgebieden waar de legers van etnische minderheden regeerden; door de bolwerken van obscure stammen als de christelijk-animistische, koppensnellende Naga of de marxistisch-animistische, koppensnellende Wa; over bergpaden zo hoog als deze weg, maar dan gezeten op de rug van een olifant in plaats van in een pittig Peugeootje...

De achterkant van Bertils grote hoofd leek onaangedaan en onverstoorbaar. Hseng Noung staarde uit het raampje en er speelde een glimlachje om haar lippen: de glimlach van een bodhisattva.

'Het idee om de Birmaweg te volgen boezemt me angst in,' schrijft de anders zo onverschrokken Wit-Russische avonturier Peter Goullart in 1936. 'Deze indrukwekkende weg is weliswaar vakkundig aangelegd, goed onderhouden en bijzonder schilderachtig, maar hij staat wel bekend om het grote aantal doden dat er valt. Via een hele serie haarspeldbochten voert hij over diverse bergketens van zo'n drieduizend meter hoogte en loopt vlak langs duizelingwekkende afgronden... Nooit zal ik de aanblik vergeten van de ontelbare vrachtwagens ergens diep in een ravijn, onherstelbaar aan stukken gereten.'

'Het is een nachtmerrie!' verzuchtte Gerald Samson, een van de eerste Britse functionarissen die na de voltooiing, eind jaren dertig, over de weg is gereden. 'Ik heb vele bloedstollende uren uit het raampje gehangen in een poging de chauffeur ertoe te bewegen op het midden van de weg te blijven... ik had het idee dat we voortdurend vlak langs de rand reden... ik krijg nog kippenvel als ik eraan denk.'

Meneer Hua scheurde door de haarspeldbochten en joeg een

paar verdwaalde voetgangers de berm in door twee keer achter elkaar hard te toeteren. Zodra hij voor zich iets zag bewegen rechtte hij zijn brede rug en stoof blindelings en luid toeterend op de volgende haarspeldbocht af. Achter elke bocht – ik zag het scherp als een film voor me – kwam een vrachtwagen vol hout ons op hoge snelheid tegemoet, wat onvermijdelijk een frontale botsing tot gevolg zou hebben. Inmiddels was er uit de grens-streek van Birma een hele stroom vrachtwagens op gang geko-men – allemaal met reusachtige stammen teakhout. ('Dit is nog niets,' zei Bertil. 'Ik heb op deze weg wel eens tweehonderd vrachtwagens op een dag geteld, helemaal volgeladen. Maar ze hebben de bossen aardig weten uit te dunnen, dus nu zie je veel minder vrachtwagens.')

Denk aan dat hout, hield ik mezelf voor. Denk aan de káálslag van de teakbossen. Denk aan de waanzin, aan die schitterende bo-men die in stukken worden gehakt, stukken hout waar olifanten en waterbuffels uit worden gesneden, zo lelijk dat je haast zou gaan denken dat ze het erom doen. Denk daar maar aan.

Ik kon er alleen maar aan denken hoe ik zo ver mogelijk bij het raampje vandaan kon schuiven zonder Hseng Noung in de verdrukking te brengen, terwijl ik met al mijn wilskracht meneer Hua probeerde te dwingen zo'n dertig centimeter – dertig cen-timeter, meer vroeg ik niet – over te laten tussen de wielen van de auto en de rand van de weg, waar de afgrond gaapte. Maar meneer Hua manoeuvreerde graag op het scherp van de snede. De laatste keer dat ik uit het raampje had gekeken, leken de lin-kerwielen in het luchtledige te draaien.

Denk aan de bergen, hield ik mezelf voor. Bergen waren hei-lig, een plek waar transformaties plaatsvonden. Het beklimmen van bergen stond symbool voor geestelijke groei, verlichting, het bereiken van perfectie. Denk aan de Chinese uitdrukking voor bedevaart, *ch'ao-shan, chin-hsiang*: 'eer bewijzen aan de berg'. Denk aan het angstaanjagende pad over de berg, de helse tocht naar het heiligdom, de *sine qua non* van elke bedevaart. Denk aan de zen-meesters, aan wat zij zouden zeggen: *Ik ben de berg, de berg is mij.*

Het enige waaraan ik kon denken was dat ik onder in een ravijn lag, *onherstelbaar aan stukken gereten*. Onherstelbaar aan stukken gereten en *als door een wonder nog in leven*.

Als je te lang in de afgrond staart, zei Nietzsche (ongetwijfeld met de Birmaweg in gedachten), zal de afgrond op een gegeven moment terugstaren. Zo'n tweeduizend meter boven de Salween, staarde de afgrond mij aan.

Foot-oh! foot-oh! had Hseng Noung geroepen, waarop meneer Hua wel op de rem had moeten trappen. We bevonden ons op zo'n grote hoogte dat de vele hectares rijstvelden en koolzaadvelden niet veel meer leken dan mozaïekstukjes van groen en goudkleurig aardewerk. De terrassen waren miniatuurtrappen op het landgoed van een reus, die nergens heen leidden, die in het niets verdwenen. Dorpen waren als vogelnesten tegen de rotswand geplakt. En langs de randen van dit kleinduimpjesland lagen de besuikerde toppen van een miniatuurbergketen. ('Stompe toppen' – zoals ze in een van onze plaatselijke gidsjes werden aangeduid.)

Helemaal onder in het ravijn liep de gigantische Salween, vanuit ons gezichtspunt niet meer dan een beekje dat werd overspannen door twee speelgoedbruggetjes: een rood-witte brug met aan beide kanten een rode ster en daarnaast een nieuwere, rankere, aanzienlijk minder mooie tweelingbrug. Meneer Hua wees ons op het lucifersdoosjesmonument ernaast, ter ere van de Chinese soldaten die waren omgekomen bij een poging de brug te verdedigen tegen de Japanners.

Hseng Noung ging met haar camera op pad – Bertil en meneer Hua gingen even de benen strekken en tabak pruimen. Ik bleef in de buurt van de berm en verbaasde me erover hoeveel voortgang ik had geboekt. Nog geen twintig uur op de weg en ik kon, zonder achteruit te deinzen, kijken hoe de grond geleidelijk afliep en overging in een dagzomende aardlaag, waarna hij steil het ravijn in dook. Het was alweer een hele tijd geleden dat we een *cèsuo*-stop hadden gemaakt, en als ik dan toch ergens moest plassen, waarom dan niet daar in die struiken?

Ik hurkte en liet me op het zitvlak van mijn broek naar beneden glijden, naar de veilige dagzomende aardlaag vlak onder me. En pas toen het te laat was merkte ik dat ik gewoon doorgleed naar beneden, dat het begroeide uitsteeksel enkel begroeiing was en helemaal geen uitsteeksel. Opeens bungelde ik met mijn voeten in een totale leegte. Mijn val in het diepe ravijn werd slechts voorkomen door iets wat weinig meer houvast bood dan een struik.

Ik merkte dat de symptomen van doodsangst nauwelijks verschillen van die van opvlammende irritatie. Ik voelde dat ik begon te blozen – diep en felrood – terwijl ik in de diepte achter me staarde en met in beide handen een paar takken mezelf naar boven probeerde te trekken, de helling op. In zithouding schoof ik weer het wegdek op.

'Ah, daar ben je,' zei Bertil, die achter een geparkeerde auto vandaan kwam. 'Ik was al bang dat je ergens naar beneden was gestort.'

'Bertil,' zei ik, verbaasd dat ik nog kon praten. 'Mijn god, Bertil. Je moest eens weten. Ik was bijna naar beneden gevallen.'

'O, ik ben ooit echt van een berg gevallen,' zei Bertil.

'Wat? Dat geloof ik niet. Hoe dan? Wanneer?'

'In de Filippijnen.'

'Maar hoe dan? En van wat voor soort berg precies? Niet zoals deze berg, mag ik aannemen.'

'Nou, ik liep over een bergpaadje. Het was boven op een berg. Een heel hoge berg. Hij verschilde niet zoveel van deze. Ik gleed uit. Ik viel.'

'En toen?'

'Toen rolde ik net zolang naar beneden tot ik bleef liggen,' zei Bertil op verveelde en licht ongedurige toon.

'Hoe kan het dat je dat hebt overleefd?'

'Hoe dat kan? Er kwamen mensen naar me toe. Ze hielpen me overeind.'

Hseng Noung was klaar met fotograferen. 'Hseng Noung,' zei ik bijna smekend. 'Je raadt nooit wat er net is gebeurd. Ik ben bijna naar beneden gevallen.'

Hseng Noung klakte meelevend met haar tong en keerde zich naar haar man. 'Bertil, waar is dat andere rolletje?'

Elke avond tegen middernacht kwamen we volkomen afgepeigerd en smerig in ons tweesterrenhotel aan, als mijnwerkers die net uit de schachten van rode aarde tevoorschijn zijn gekropen. Elke nacht droomde ik van tochten die op hoge snelheid werden afgelegd in de meest merkwaardige, op hol geslagen voertuigen: draagvleugelboten, eenwielers, sleeën. Ik stoof over wegen met het ene drukke kruispunt na het andere, schoot door rode stoplichten, slalomde over een smal pad dat tussen hoge cipressen door liep – het scheelde telkens maar een haar of ik botste ertegenop. En op een vreemde manier was dat nog wel het ergste: dat ik er om een of andere reden nooit echt tegenop klapte.

'Angst,' zegt Aung San Suu Kyi, Birma's oppositieleider en symbool van hoop op een democratische toekomst, 'is een gewoonte.' Een treurig stemmende gedachte; want wat is lastiger dan afrekenen met een gewoonte? Maar gelukkig kan angst ook ingedamd worden. De tweede dag, gezuiverd door de haast religieuze ervaring om op tweeduizend meter diepte boven een ravijn mijn behoefte te willen doen, zonder daar overigens in te zijn geslaagd, sloot ik niet langer mijn ogen bij elke bocht die langs een afgrond liep – ik greep me niet langer met witte knokkels vast aan de deurkruk.

Ik haalde mijn Baedeker tevoorschijn: *De aanleg van de Birmaweg* door Tan Pei-Ying, de hoofdbouwkundige en tevens beheerder van de weg. Tans boek is een genot om te lezen – de uitzonderlijke getuigenis van een bouwkundige die tevens een begenadigd schrijver is. Het was een van de belangrijkste bouwprojecten van de twintigste eeuw, waarbij methoden werden gebruikt die eerder Carthaags dan modern aandoen (het was in Carthago, rond 800 voor Christus, dat er voor het eerst stenen werden gebruikt om wegen te plaveien.) Van het begin tot het einde, van de oorspronkelijke berekeningen om de precieze loop en hellingshoeken te bepalen tot aan het uiteindelijke wegdek, is er slechts sporadisch gebruikgemaakt van instrumenten. Vaak was de theodoliet het enige gereedschap van de landmeters, de draagstoel het enige vervoersmiddel in de bergen.

'Deze methode heeft zo zijn voordelen, want een man die in een draagstoel zit bevindt zich hoog boven de grond en heeft een beter overzicht; en omdat hij er zich niet druk over hoeft te maken waar hij zijn voeten neerzet kan hij zich volledig op het werk concentreren... Alleen de voorste drager ziet waar hij naartoe gaat; de man achteraan ziet helemaal niets. Zodoende moeten ze informatie uitwisselen, en ze communiceren dan ook voortdurend met elkaar in een soort monotoon gezang... De voorste man zegt steeds wat hij ziet, terwijl de achterste op vriendelijke en geruststellende toon antwoordt om zijn metgezel een hart onder de riem te steken.'

Om de weg vrij te maken moest elke boom worden omgehakt, of met de hand worden uitgegraven, waarbij ook touwen en een breekijzer werden gebruikt. De aarde werd losgewoeld met schoffels en pikhouwelen en vervolgens in mandjes afgevoerd naar een 'hoop' (of berg) waar hij werd aangestampt door mannen die daarbij samen dienden te zingen. Alle mannen die aan een 'hoop' werkten moesten afkomstig zijn uit hetzelfde district... Eerst zingt de een, dan de ander... ze sporen elkaar aan: 'Ga door [hoop] ... Tanden op elkaar [hoop] ... Trekken [hoop] ... Wees niet bang [hoop].'

Bondig en beeldend beschrijft Tan de problemen en de oplossingen bij elke afzonderlijke fase van de bouw: de delicate kwestie van het ontruimen van heiligdommen en voorouderlijke graven op de route van de nieuwe weg; het mobiliseren van hele dorpen om aan voldoende mankracht te komen; de duizenden doden als gevolg van malaria en landverschuivingen; de uitputtende technieken waarmee door aarde en rotsen werd geboord en gegraven; de mensen die hun dood tegemoet zwommen in

174

een poging de eerste kabels naar de overkant van de woeste Salween te brengen, teneinde een eerste brug te kunnen bouwen – de brug die we net zijn overgestoken.

Hoog in de bergen, waar de weg nog goed was geweest en meneer Hua alle bochten zo snel had genomen dat we van de ene kant van de auto naar de andere werden gesmakt, was de rit voornamelijk zenuwslopend geweest. Nu het wegdek belabberd was – een martelgang van scherpe stenen, modderige kuilen en dikke wolken rood stof –, was het een zenuwslopende, verstikkende ervaring waarbij de tanden bijna uit je mond vielen. Maar af en toe was er opeens een stuk met oude kasseien, nog altijd glad en gaaf, glinsterend.

'Over de gehele lengte van bijna 1000 kilometer... in een baan van 7 meter breed en tussen de 15 en de 25 centimeter hoog... was de Birmaweg geplaveid met vergruizelde keien. De steentjes waren stuk voor stuk met de hand op hun plaats gelegd. De meeste wegwerkers waren boeren, die dezelfde methode gebruikten om de steentjes neer te leggen als bij het overplanten van de kiemen in de rijstvelden, die ze rechtop op hun plaats zetten, waarna ze in gebogen houding een stapje naar achteren deden.'

De pelgrims van Birma woelen de aarde om op zoek naar schildpaddeneieren. De pelgrims op weg naar Mount Shasta in Tibet werpen zichzelf om de zoveel passen ter aarde, de hele tweeëndertig kilometer lange pelgrimsroute. Mount Kailash, het beroemde boeddhistische heiligdom, trekt pistolendragende nomaden aan die gezeten in het zadel de ommegang doen. Ze blijven onderweg even staan om wat danteske rituelen uit te voeren, stenen op te tillen, hun zonden te wegen door over de rand van een rots te gaan hangen, de *smyal lam* te lopen, 'het pad naar de hel', een smalle doorgang tussen de rotsen die de overgang van dood naar wedergeboorte symboliseert. Ze jagen in de buurt van de heilige berg en laten stenen achter op het pad van de ommegang

– stenen waarin boetvaardige gebeden aan boeddhistische goden zijn uitgehouwen.

In Yunnan, de streek van ballingschap en pelgrimstochten, is elke steen langs de Birmaweg een pelgrimssteen, neergelegd door mannen, vrouwen en kinderen die met elke stap verder en verder van huis raakten.

'Bertil,' zeg ik, 'denk je dat ik Hoppingstone Lungdao zal ontmoeten in Ruili?'

Ik heb altijd al iemand willen ontmoeten die Hoppingstone heet, al helemaal toen Bertil me vertelde dat er ook echt zo iemand bestaat. En als die wens ooit zal uitkomen, dan zal het in Ruili zijn.

Telkens als ik gedurende onze lange reis over de Birmaweg iets wilde bekijken, of naar iets lekkers smachtte, verzekerden de Lintners me dat ik in Ruili precies hetzelfde kon vinden, maar dan nóg beter.

Ruili was het einde van de weg, het einde van onze tocht, de plek waar twee landen en twee Birmawegen samenkwamen. Maar Ruili was meer dan alleen Birma en China. Ruili was de smeltkroes van alle grensvolkeren ertussenin – de Dai, de Jingpo, de Wa. Ruili was het grensgebied, het Xanadu van het westen, waar elke wens vervuld kon worden en elk verlangen bevredigd. In Ruili waren hotelkamers voorzien van kamerbreed tapijt, airconditioning en een directe telefoonverbinding met Amerika. Langs de weg stonden snookertafels en karaokestalletjes en vrijwel elke straat had wel een kraampje waar gin werd verkocht. Er hingen rode lampen, groene lampen, neonlampen – allemaal flakkerend. In de disco's werd heavy metal afgewisseld met sentimentele nummers. En dan de banken – Ruili telde meer banken per inwoner dan Zürich, en het geld, goeddeels witgewassen, stroomde er binnen. Er waren bloemenmarkten, markten met groenten en fruit, vlooienmarkten, sieradenmarkten, en de uithangborden waren zowel in het Birmaans als in het Chinees. Er was heroïne – in grote hoeveelheden – afkomstig uit Birma, waar de opiumproductie het laatste jaar was verdubbeld en het komende jaar ongetwijfeld nog eens zou verdubbelen. Er waren goktenten, verscholen achter propvolle noedelkraampjes, bordelen achter de façade van een schoonheidssalon, en je zag vele revolutionairen druk filosoferen boven een pot thee. Er waren zingende kanaries en dansende meisjes – en vermoedelijk ook dansende beren.

In Ruili zouden we vieren dat onze lange tocht ten einde was. We zouden er een paar dagen rondkijken, met de mensen praten, échte wandelingen maken – niet alleen af en toe de benen strekken om vervolgens weer uren in de auto te zitten.

'Hoppingstone?' zei Bertil. 'Ik betwijfel of hij er is. We zullen zien.'

'Nou ja, anders misschien een paar Russisch-sprekende Birmaanse communisten.'

'O, die zijn er vast wel.'

'En hoe kom je daarmee in contact?'

'Gewoon, wachten.'

'Waar?'

'Ik ga in een Birmaans tentje onder de banyanboom zitten. En dan wacht ik totdat iemand me herkent,' zei Bertil. 'Ze komen vanzelf.'

Natuurlijk. Stom van me.

'En *borscht*, Bertil? Gaan we ook borscht eten?'

Een van de in Moskou opgeleide rebellen die we in Kunming hadden ontmoet (een man die zei dat hij van zijn hele leven in de Sovjet-Unie vooral het schaatsen in Gorky Park miste), had zijn vrouw geleerd hoe ze verrukkelijke borscht moest maken.

'Daarvoor moet je wachten tot we in Kunming zijn,' zei Bertil. 'Maar hoezo wil je eigenlijk borscht eten, met al dat verrukkelijke Birmaanse eten hier in Ruili?'

'Zoals? Ik ben benieuwd.' We hadden al in geen uren meer iets gegeten en ik rammelde.

'Rijstkoekjes,' zei Hseng Noung.

'Toch niet die...'

'Ja, die paarsige.'

'Die op houtskool zijn geroosterd?'

'Ja, die.'

'En die dan opzwellen?'

'Ja, ze zwellen op.' Hseng Noung knikte. 'En dan besprenkel je ze met...'

'Bruine suiker en sesamzaadjes?'

'Ja, van die paarsige,' zei Hseng Noung op dromerige toon.

'Die paarsige. Ik word gek.'

'Je kunt ze krijgen bij het mededelingenbord.'

'Welk mededelingenbord?'

'Dat bord op de markt, waar ze grote zwart-witfoto's ophangen van drugsdealers die in het openbaar zijn terechtgesteld. De autoriteiten treden tegenwoordig keihard op. Ze maken zich zorgen om aids, en deze aanpak maakt deel uit van de campagne om de bevolking te onderrichten.'

'Foto's van terechtgestelden naast de rijstkoekjes? Dat moet ik zien.'

Het beeld van die poppenkast maakte een hardhandig einde aan onze nostalgische mijmerijen. We kwamen uit de donkere heuvels van Mangshish en reden de Shweli-vallei in. De lichten van Ruili wenkten en over minder dan een uur zou onze lange tocht ten einde zijn – voorlopig, in ieder geval. Birma lag aan de andere kant van de heuvels – ik was in vele tientallen jaren niet zo dicht bij huis geweest en waarschijnlijk zou dat er ook nooit meer van komen. Net als de talloze dissidenten die door het militaire bewind verjaagd waren, net als ieder ander in zowel binnen- als buitenland die het had gewaagd zich in het openbaar kritisch uit te laten over het bewind, waren de Lintners en ik *persona non grata* op officieel Birmaans grondgebied. Maar uiteindelijk was onze hele tocht natuurlijk bedoeld om met een ontluikend verlangen door de afzetting te kunnen turen, als een kind dat zijn neus tegen de ruit drukt van een snoepwinkel die is gesloten.

'Zullen we het erop wagen?' zei Hseng Noung, die van opwinding in mijn arm kneep.

'Wat?'

'Zullen we morgen proberen de brug over te steken, naar de

Birmaanse kant? Zonder Bertil, want die komt er niet door. Alleen jij en ik. We doen net of we hier vandaan komen en kijken gewoon of we naar de overkant kunnen lopen.'

'Hseng Noung,' zei Bertil, zonder zich om te draaien, 'doe niet zo gek.'

Er zijn momenten dat het verbodene een sacraal aura krijgt, al helemaal als het verbodene ooit je thuis was. Misschien was het doel van mijn pelgrimstocht, mijn zoektocht naar relikwieën, uiteindelijk toch minder profaan. Lag uiteindelijk niet aan elk verlangen naar relikwieën een vorm van heimwee ten grondslag – of 'thuis' nou verwees naar de plek waar je feitelijk was geboren of naar een *patria* van de andere wereld, waar je vooral op spiritueel vlak naartoe werd getrokken? Kwam het streven van de pelgrim uiteindelijk niet sterk overeen met dat van de banneling?

Ik moest denken aan die prachtige lofzang op de pelgrimstocht van de Alexandrijnse dichter, C.P. Kafavis:

Als je de tocht aanvaardt naar Ithaka
wens dat de weg dan lang mag zijn,
vol avonturen, vol ervaringen.
De Kyklopen en de Laistrygonen,
de woedende Poseidon behoef je niet te vrezen,
hen zul je niet ontmoeten op je weg
wanneer je denken hoog blijft, en verfijnd
de emotie die je hart en lijf beroert.
De Kyklopen en Laistrygonen,
de woeste Poseidon, je zult hen niet ontmoeten
als je ze niet in eigen geest meedraagt,
je geest hen niet gestalte voor je geeft.*

Het was bijna middernacht, maar toen we de stad naderden was de smalle weg die langs de grens liep helder verlicht door sodi-

* vertaling H. Warren/Mario Molegraaf

umlampen. In een waas van vermoeidheid zag ik plotseling voor me hoe de grens gewoon onder ons door was getrokken – waardoor wij ons nu aan de andere, verboden, kant bevonden. Mijn verbeelding speelde me parten. Ineens kwam echt álles om me heen – het silhouet van de mensen op straat, de schaduw van de huizen – me onvervalst *Birmaans* voor.

Houd Ithaka wel altijd in gedachten.
Daar aan te komen is je doel.
Maar overhaast de reis in geen geval.
Beter is dat die jaren duurt,
zodat je oud zult zijn
wanneer je bij het eiland
het anker uitwerpt,
rijk aan wat je onderweg verwierf
en niet verwachtend,
dat Ithaka je rijkdom schenken zal.

Ithaka gaf je de mooie reis.
Was het er niet,
dan was je nooit vertrokken.
Verder heeft het je
niets te bieden meer.

En vind je het er wat pover,
Ithaka bedroog je niet.
Zo wijs geworden,
met zo veel ervaring, zul je al
begrepen hebben
wat de Ithaka's beduiden.

'Het einde van de weg,' verzuchtte Hseng Noung.
Het kwam niet op me over als het einde – ik wilde niet dat er een einde aan kwam. Ik hoopte dat het een lange weg zou blijven.

Oases van vrede

NURUDDIN FARAH

Nuruddin Farah is Somaliër. Zijn roman *Geheimen* is uitgekomen in 1998 en heeft in dat jaar de Neustadt International Prize for Literature gewonnen. Daarna publiceerde hij *Kaarten* en *Links*. In 1999 noemde de *New York Review of Books* Farah 'de belangrijkste auteur die Afrika in de afgelopen vijfentwintig jaar heeft voortgebracht'.

Ik kan met geen mogelijkheid verklaren waarom ik ervoor terugschrik om een van mijn reizen – en God weet dat ik er vele maak – tot een spirituele zoektocht te bestempelen. Zo keek ik in januari 2002 in elk geval niet tegen mijn reis naar Somalië aan, noch tijdens het stadium van de voorbereiding, noch na afloop. Maar ik ben me er wel degelijk van bewust dat er een slag reizigers is dat zichzelf als pelgrim beschouwt. Voor mij gaat dat echter niet op. Ik zou willen dat ik kon zeggen dat er een spirituele kant aan mijn reis zat, en dat ik in zekere zin een pelgrim was.

Aan de andere kant is het natuurlijk mogelijk – nu ik er nog eens dieper over nadenk – dat een ander wel vindt dat er een spiritueel aspect aan mijn reis naar Mogadishu kleeft. Ik zal niet ontkennen dat ik ervan overtuigd was dat de geschiedenis in Somalië in zijn geheel was herschreven. In het begin was ik één en al scepsis, keerde ik terug naar het eeuwenoude taalkundige en culturele erfgoed om waar mogelijk deze unieke bronnen in te zetten voor de vrede. Even zelfingenomen als naïef ging ik erheen met de bedoeling te zoeken naar mogelijkheden om de strijdende partijen met elkaar te verzoenen. Daarnaast koesterde ik de merkwaardige gedachte dat mijn bezoek me zou helpen om in contact te blijven met datgene wat me in staat stelt te schrijven – wat dat ook precies mag zijn.

Mijn bezoek zou van beperkte duur zijn, acht weken in totaal, ingeklemd tussen andere reizen die me naar andere steden zouden voeren, zoals Djibouti, Nairobi, New Delhi, en dan weer terug naar Kaapstad voor andere kleren – want in Noord-Amerika was het winter – en dan nog weer verder van huis, naar Boston.

Ik was me er terdege van bewust dat ik de dood zou kunnen vinden, door toedoen van een tot op de tanden bewapende, demonische jongen, die met plezier zou toekijken hoe de kaken van de dood zich sloten om zijn onfortuinlijke prooi. Ik denk dat ieder van ons zijn eigen specifieke angsten meeneemt als hij naar een plek gaat die als gevaarlijk te boek staat, en ik wist dat ook ik mijn eigen valkuilen met me meedroeg. Ik dacht dat ik er baat bij zou hebben om de contouren van de angst af te tasten – teneinde niet zelfgenoegzaam te worden – zoals je ook naar jezelf kijkt in de spiegel van je zelfbeeld, voorbereid op het ergste.

Voordat ik aan mijn reis begon, hadden mijn vrouw en ik het uitvoerig gehad over mijn verlangen om naar Mogadishu te gaan, ondanks alle gevaren. Ze was er niet tegen, zei dat ze zich wel iets kon voorstellen bij die sterke drang, die ze de ene keer omschreef als loyaliteit aan het Somalische volk en de andere keer als een existentialistische obsessie, even diepgeworteld als de bron van mijn verbeelding, waaraan ik mijn inspiratie ontleen. Mijn broeders en zussen – die de levensgevaarlijke anarchie in Somalië aan den lijve hebben ondervonden, die het land zijn ontvlucht en naar Noord-Amerika of Europa zijn geëmigreerd – waren minder grootmoedig in hun empathie. Zij zagen mijn reis vrijwel allemaal als een klap in het gezicht van het gezonde verstand en raadden me af te gaan. De gesprekken die ik met hen voerde, gaven me het gevoel alsof de dood vanuit een spiegel op me loerde, gevangen tussen het glas en het zilverlaagje. In een nachtmerrie die een paar dagen voor vertrek opborrelde uit mijn onderbewuste, zag ik hoe de dood poogde zijn holle ogen op mij te richten, met de wazige blik van iemand die loenst – bij het wakker worden was ik niet in staat de onrust van me af te schudden en ik bleef het gevoel houden dat de dood zich nu schuilhield in de irissen van mijn eigen ogen. Desondanks gaf ik toe aan de drang om te gaan, en ging.

Welke voorstelling had ik van de toestand in het land, terwijl ik me voorbereidde op mijn tweede bezoek in vijf jaar? Ik kon maar niet vergeten dat ik in 1996 was ontvoerd, tijdens het bezoek aan mijn thuisland dat een einde moest maken aan de tweeëntwintig jaar durende ballingschap. Natuurlijk probeerde ik me ergens een voorstelling te maken van mijn terugkeer naar een plek waar de mensen collectief elke vorm van spiritualiteit de rug hebben toegekeerd, een plek waar mensen geïnteresseerd zijn in de talloze manieren waarop een wapen te gebruiken is, en niet in een harmonieuze toenadering tussen de getraumatiseerde bevolkingsgroepen, om zodoende gezamenlijk te werken aan een vorm van mentaal herstel en verzoening.

De laatste tijd ben ik tot mijn verdriet steeds meer gaan geloven dat onze poëtische traditie een ongeëvenaarde lofzang op het militarisme is, en dat er meer gewicht wordt toegekend aan de opgetogenheid over de overwinning op een tegenstander dan aan de romantische liefde. Tijdens de voorbereidingen voor mijn reis hield ik mezelf voor dat de Somalische gemeenschap de laatste tijd nauwelijks blijk had gegeven van enige vorm van serieuze introspectie, en dat ons volk niet uitblinkt in het doorgronden van gevoelens van mensen die buiten de directe familie of vriendenkring vallen. De schraalheid van de verbeelding drukt zo'n verpletterend stempel op ons bestaan, dat de gedichten die in het huidige klimaat worden geproduceerd nauwelijks bijdragen aan het bewerkstelligen van vrede – vrede wordt gereduceerd tot een abstractie. En waarom hebben we niets ondernomen tegen de krijgsheren die munt hebben geslagen uit onze ellende? Waarom bouwen we verder aan de paleizen van wrok, in plaats van de waarheid omtrent ons persoonlijk en collectief falen onder ogen te zien, in plaats van af te rekenen met de krijgsheren en hun buitenlandse bondgenoten of hun binnenlandse netwerken, in plaats van te zorgen dat er vrede komt?

Somalië laat zich met geen enkel ander land vergelijken. Dat is te wijten aan de burgeroorlog, die bijna twaalf jaar heeft geduurd. En door de feitelijke afwezigheid van een centrale overheid staan er steeds weer nieuwe moordenaars op – ook wel krijgsheren genoemd – die zichzelf tot leider uitroepen en het land nog verder in het verderf storten. Als gevolg daarvan trekt Somalië altijd aan het kortste eind – het is een land dat niet in staat is om op voet van gelijkheid besprekingen met andere landen te voeren.

Ons land is het enige land ter wereld dat vrijwel iedereen, van waar dan ook, zonder noemenswaardige formaliteiten kan binnenkomen en weer kan verlaten. Als er een vliegtuig landt op een van de vele geïmproviseerde landingsbanen, staat er een hele zwerm sjofele kruiers, taxichauffeurs en mannen met telefoon klaar, nog voor je voet aan de grond hebt gezet. Om je bagage te bemachtigen moet je je een weg banen door een haag van menselijke en andere obstakels. Maar als je eenmaal je bagage in handen hebt, kun je gaan en staan waar je wilt zonder dat iemand je ook maar een strobreed in de weg legt. Er is geen douane, geen gezondheidscontrole: kort gezegd, je hoeft helemaal geen inreispapieren in te vullen. Ook zijn er geen loketten waar een douanebeambte vraagt naar het doel van de reis, alvorens een stempel in je paspoort te zetten.

Ten tijde van de dictator was er maar één vliegveld geweest en waren de procedures zo streng dat alle bezoekers knikkende knieën hadden. In die tijd moesten alle Somaliërs een uitreisvisum in hun paspoort laten zetten als ze het land wilden verlaten. We waren verplicht om bij terugkomst ons paspoort aan de politie te tonen. Sterker nog, een paspoort kostte in die dagen het nauwelijks op te brengen bedrag van honderd dollar of nog meer, en was slechts drie jaar geldig. Om een paspoort te bemachtigen moest je zes formulieren invullen, zes foto's bijsluiten en dat alles persoonlijk afleveren op het Bureau Paspoorten, waar je werd ondervraagd en vernederd en vervolgens vaak onverrichterzake werd weggestuurd. De willekeur van de dictatoriale macht was zo groot dat de beambte die je aanvraag afwees, geen reden hoefde aan te voeren waarom hij je het recht op een paspoort ontzegde. Wie naar het buitenland wilde moest bidden, steekpenningen betalen of connecties hebben die konden bemiddelen om op audiëntie te mogen bij de tiran, zodat hij je een paspoort kon verschaffen.

Buitenlanders die zoveel jaren terug het land wilden bezoeken, moesten drie maanden van tevoren een visum aanvragen en als er al een inreisvergunning werd verstrekt, was die bijzonder kostbaar. Eenmaal in het land werd de bewegingsvrijheid van de buitenlander danig ingeperkt; hij mocht zich eigenlijk niet buiten de stad wagen waar de autoriteiten zetelden en waar het handjevol overheidsfunctionarissen was gevestigd dat zich met zijn bezoek bezighield.

Tegenwoordig worden er geen beperkingen gesteld aan de bewegingsvrijheid – alles is zo informeel geregeld dat je kunt doen en laten wat je wilt, kunt gaan en staan waar je wilt en kunt kopen en verkopen wat je maar wilt. De burgeroorlog heeft Somalië veranderd in de ultieme vrije markt: al het nationale bezit, alle immateriële en materiële rijkdom die zich nog in het land bevindt en die nog niet is ontmanteld en doorverkocht aan ondernemingen in Kenia, Ethiopië en het Midden-Oosten, ligt voor het oprapen, al helemaal als je een van de krijgsheren tot je geldschieters kunt rekenen, of tot handlanger in projecten die in andere landen als een misdaad zouden gelden. Wat er nog rest van de infrastructuur van het in onbruik geraakte land mag je ook voor een spotprijsje hebben, gesteld dat je er iets mee zou willen. En als je radioactief afval wilt dumpen, zal een van de vele krijgsheren je een onbewoond stuk land wijzen. Begrijp me goed, ons land is geen pariastaat. Je zou eerder kunnen zeggen dat we de staat in zijn geheel hebben afgeschaft. We houden ons gewoon niet aan regels en passen niet binnen bestaande verwachtingspatronen. Is dat waarom de wereld zich niets van onze situatie lijkt aan te trekken? Omdat we een land zonder functionerend overheidsapparaat zijn, dat de ogen sluit voor wie het land binnenkomt en weer verlaat en wat hij hier in de tussentijd uitvoert. We hebben niet de middelen om langs de kust te patrouilleren, zelfs niet voldoende middelen om het salaris uit te betalen van een uitgehold ambtenaren- of politieapparaat.

Ondanks de afwezigheid van een centrale overheid en ondanks het feit dat er totale anarchie heerst, zie ik het als een denkfout om te zeggen dat Somalië niet langer bestaat, aangezien dat duidelijk wel het geval is. Het land bestaat, dat lijdt geen twijfel. Het valt niet te ontkennen dat we een tijd achter ons hebben van te veel dictatoriale inmenging in ons dagelijks leven – een wijdvertakte invloed, zo je wilt – en dat we ten prooi zijn gevallen aan lokale, autonome krachten die intrinsiek anarchistisch zijn, vaak zelfs dodelijk, en voor wie de loop van een pistool het ultieme gezag vertegenwoordigt.

Vrede was het opmerkelijke handelsmerk van het hotel waar ik verbleef – 'een oase van vrede' noemde een vriend het tijdens de eerste avond dat ik er samen met hem zat te eten, pratend tot diep in de nacht, terwijl we probeerden het geluid van de krekels te onderscheiden van de andere geluiden die door alles heen drongen en me lieten wensen dat ik me beter kon concentreren op wat ik hoorde of net niet helemaal goed kon horen.

Ik had twee karig ingerichte kamers, met satelliettelevisie. Ik kon CNN ontvangen en nog een stuk of wat Arabische zenders, en maar één Somalische zender. Omdat ik niet op de hoteltelefoon kon vertrouwen – afgesneden toen de regering-Bush tijdens de golf van maatregelen na 11 september alle tegoeden van Barakat had bevroren –, kocht ik een mobiele prepaytelefoon zodat ik op elk moment naar huis kon bellen. Ik kon nu ook vanuit het buitenland gebeld worden en dat was een opluchting.

Het leven in mijn hotel was keurig geregeld: ontbijt naar keuze – flensjes, doorbakken lever op Somalische wijze – van zeven tot halftien geserveerd in een ruim opgezet restaurant; een driegangenlunch tussen één en vier, in hetzelfde restaurant of de lommerrijke tuin, in de zwoele schaduw van volwassen bomen; en het diner van acht uur 's avonds tot bijna middernacht – buiten opgediend, of op de kamer.

Ik heb veel tijd in hotels doorgebracht, ik heb er vele mensen ontmoet en gesproken, ik heb er een hele stoet bezoekers ontvangen, die me vergastten op authentieke verhalen. Veel mensen waren op de hoogte van het feit dat ik in de stad was, doordat ik vrij snel na aankomst een radio-en-televisie-interview had gegeven van bijna een uur, waarbij de kijkers konden bellen, en dat programma werd steeds maar weer herhaald. Veel mensen zeiden dat ze het eens waren met de strekking van mijn voornaamste punt – dat het noodzakelijk was dat er vrede kwam, dat alles wat wij Somaliërs hadden bereikt, zonder vrede voor niets was geweest. Dus laten we het over vrede hebben, laten we in actie komen.

Het spreekt voor zich dat alles wat ik deed gepaard ging met een zekere behoedzaamheid, gezien mijn opvattingen over vrede in een land dat in oorlog was. Ik voelde me veilig in het hotel, waar iedereen die een wapen droeg de toegang werd geweigerd. Maar vanbinnen voelde ik me allesbehalve veilig zodra ik me buiten het hotel begaf om een ommetje te maken, of om met een kennis een kopje thee te drinken onder een afdakje in het geïmproviseerde theehuis tegenover de hoofdingang van het hotel, waar voornamelijk gewapende mannen zaten. Buiten het hotel was ik me voortdurend bewust van de chaos die gepaard gaat met de schermutselingen van een land dat in een burgeroorlog verkeert. De mensen op straat zagen er afgepeigerd, angstig en nerveus uit. Op mijn kamer, met de ramen open, zag ik gewapende mannen door de verwoeste, door mortieren beschoten buurt kuieren. Taferelen van verwoesting, zo ver het oog reikte, vier hoog in mijn hotelkamer.

Het hotel was robuust als een marktplein en straalde tegelijkertijd een toegankelijke én besloten sfeer uit. In de tuin – toegankelijker is nauwelijks mogelijk – krioelde het van de politieke impresario's die in kleine groepjes eindeloos stonden te praten en zich met zware stem verloren in de arabeske kronkels van de clanpolitiek. Veel ministers van de interim-regering hadden een kamer in hetzelfde hotel als ik, en de minister van Financiën, een bijzonder joviale man, had zelfs een suite op dezelfde verdieping.

Ik had mijn eerste lunchafspraak toen ik nog geen uur in de stad was, in een andere 'oase van vrede', en wel de residentie van de premier van de interim-regering, die kort daarvoor tijdens een landelijke conferentie in Djibouti in het leven was geroepen. De woning van de premier was nog geen honderd meter van mijn hotel verwijderd, en toen me werd gevraagd of ik ernaartoe gereden wilde worden en of ik een escorte wilde, zei ik dat ik liever ging lopen, wat ik dan ook deed. Ik was me bewust van de aanwezigheid van enkele gewapende bewakers die op discrete wijze een oogje in het zeil hielden totdat we bij het hek waren en ik naar binnen mocht – voor het geval dát.

Later kwam ik erachter dat er nog veel meer beschermde gebieden waren, verspreid over de stad. De krijgsheren, die het leven van vrijwel iedereen tot een hel maakten, en de zakenlui, hun broeders in het kwaad die de ellende van het volk uitbuitten, wonen in dergelijke oases van vrede. Op dezelfde manier zijn de meeste grote hotels veranderd in oases van vrede, met wachtposten die worden bemand door gewapende bewakers, terwijl op het terrein zelf wapens verboden zijn.

Ik zag de straat als 'vijandelijk gebied' en voelde me krankzinnig genoeg veilig in het gezelschap van de gewapende jongens die me naar de bunker van een van de krijgsheren begeleidden. Als het even kon, maakte ik pas een afspraak om een krijgsheer te ontmoeten als het vervoer ruim van tevoren en tot in de puntjes was geregeld.

Eén keer bleek mijn vervoer te bestaan uit een patrouilleauto met maar liefst tien gewapende jongens erin. Om me te laten weten dat ik kon vertrekken, kwam de lijfwacht van mijn gastheer naar de receptie van het hotel en attendeerde me erop dat de patrouillewagen aan de overkant van de weg stond te wachten, voor de ingang van het hotel. Op weg naar de redoute van de krijgsheer zat ik tussen twee jongens met een geweer – achter me, bijna tegen me aan, zat een ongewapende derde jongen, die me op navrante verhalen onthaalde en vol trots vertelde hoeveel vijandelijke strijders hij had gedood en hoe hij had genoten van de angst in de ogen van zijn slachtoffer, angst die plaatsmaakte voor iets anders op het moment dat hij stierf.

Bij het hek van de redoute van de krijgsheer belde de chauffeur van de patrouillewagen om te zeggen dat we eraan kwamen. De gewapende jongens sprongen uit de auto en gingen met een stel andere jongens een potje kaarten. Toen de krijgsheer en ik waren uitgepraat werd ik teruggebracht naar mijn hotel in een gewone personenwagen, zonder escorte.

Een andere keer kon ik bij een krijgsheer terecht dankzij tussenkomst van een kennis, die een 'audiëntie' had geregeld. Mijn kennis, die een hotelkamer had op dezelfde verdieping als ik, was een politiek bondgenoot en tevens aangetrouwde familie. Ik werd uitgenodigd op een van de bewaakte terreinen van de krijgsheer, dat scheen te grenzen aan een deel van de stad dat door iedereen werd gemeden omdat er een moorddadige wetteloosheid heerste.

Maar er waren problemen met het vervoer, want de krijgsheer wilde er niet voor zorgen en vond dat ik zelf iets moest regelen. Geen van mijn contacten in de federale overgangsregering, noch mijn andere vrienden, waren bereid me hun auto te lenen of het leven van een van hun chauffeurs in de waagschaal te stellen. Toen een van mijn vrienden na lang aandringen dan toch bereid was voor vervoer te zorgen, liet zijn chauffeur het afweten. Ik wilde net de hele onderneming afblazen toen de manager van het hotel, een voormalig student van me uit de jaren zeventig, toen ik had gedoceerd aan de National University, uitkomst bood door me zijn privéauto met escorte ter beschikking te stellen. Zijn chauffeur leek bereid om ons te brengen. Maar opnieuw stuitten we op problemen. We hadden nog maar net een paar kilometer afgelegd toen dezelfde chauffeur, nu zichtbaar bang, terugkrabbelde en beweerde dat hij nooit had beloofd ons naar de redoute van de krijgsheer te brengen, maar alleen naar een parallelweg, vanwaar we de resterende halve kilometer te voet moesten afleggen. Het escorte steunde hem in deze stellingname. Ze waren duidelijk stuk voor stuk als de dood om zich in de buurt van het beschermde gebied van krijgsheer C. te wagen.

Ik vroeg de chauffeur of hij zo goed wilde zijn de auto even op de stoep te zetten, waarna we eindeloos praatten. Na lange tijd, na veel stroopsmeren en op hem inpraten, stemde de chauffeur in met mijn verzoek ons bij het hek af te zetten, en het escorte stemde erin toe verder niet moeilijk te doen.

Dankbaar stapten mijn metgezel en ik uit bij het hek, waar nog meer gewapende jongens stonden, die klonken alsof ze van mijn komst op de hoogte waren gesteld. Toen ik langs hen liep, het terrein op, werd ik me achter mijn rug bewegingen en geluiden gewaar die ik geen van alle kon thuisbrengen. Maakte dat onderdeel uit van de strategie van een krijgsheer – zijn gasten in het ongewisse laten? Werden de zachtschuifelende geluiden gemaakt door zijn bewakers, die buiten mijn blikveld hun werk deden? Of waren ze afkomstig van knaagdieren, die zich in het volle licht van deze heksenketel te goed deden aan hun prooi?

We troffen de krijgsheer qat-kauwend aan. Hij was lang, halverwege of achter in de vijftig, een man met een sluwe blik in zijn ogen, een man van wie je moeilijk hoogte kunt krijgen, met wie je maar liever geen ruzie maakt. Hij was van zeer eenvoudige komaf. Naar verluidt was hij de chauffeur geweest van een Texaanse oliehandelaar, die van de voormalige dictator toestemming had gekregen om overal in het land vrijelijk naar olie te boren. Hij sloeg duidelijk munt uit de huidige onlusten. Volgens sommigen had hij overal een vinger in de pap, in dit belastingparadijs waar ongelimiteerd geld verdiend werd; volgens anderen verdienden de milities die zich aan zijn zijde hadden geschaard hun brood met het uit de weg ruimen van zijn tegenstanders, wat hem weer in staat stelde de landgoederen en bananenplantages van de slachtoffers over te nemen.

Krijgsheer C. maakte een ereplaatsje voor me vrij, vlak naast hem – mijn huid raakte bijna die van hem. Toen hij me de hand reikte en ik zijn uitgestoken hand aannam, had ik het gevoel alsof mijn handpalm in contact kwam met ingelegd vlees waarvan de uiterste houdbaarheidsdatum was verstreken. Hij hield me een bos vers ingevlogen qat voor, waar ik uit beleefdheid een enkel blaadje uit trok.

Hij zat in het midden van een kring, die zich als vanzelf om hem had gevormd. Ik voelde meteen dat hij een toneelstukje opvoerde en ten overstaan van getuigen lippendienst zou bewijzen aan de vrede, terwijl hij het in feite over zichzelf en zijn 'staatsmanachtige' aangelegenheden had. Omdat ik wel voelde dat een gesprek met hem ons weinig dichter bij mijn idee van vrede zou brengen, besloot ik maar te genieten van het schouwspel, want het was overduidelijk dat hij geen zin had in het gesprek onder vier ogen waarom ik had verzocht. Je zou kunnen zeggen dat deze ontmoeting volkomen in scène was gezet, compleet met getuigen. Als Somalië deel had uitgemaakt van de internationale gemeenschap zou krijgsheer C. – en met hem vele anderen – voor het Internationaal Strafhof zijn gedaagd om vragen te beantwoorden aangaande zijn verantwoordelijkheid, of als hoofdverdachte van de moord op zoveel onschuldige mensen. In de huidige omstandigheden was dat volstrekt ondenkbaar, en voor mijn gevoel was praten over de vrede, zoals ik deed, de enige mogelijkheid.

Krijgsheer C. leunde tegen een kapotte tractor, wat het geheel een zeker gewicht verleende omdat het me deed denken aan de talloze films die ik had gezien, waarin de slechterik geheel verdiend op gruwelijke wijze aan zijn einde komt en de dood vindt in een vervallen pakhuis waar de laatste achtervolging plaatsvindt en de laatste adem wordt uitgeblazen. Krijgsheer C. praatte honderduit voor een geboeid luisterend publiek, bestaande uit zo'n twintig mannen die op een paar tegen elkaar geschoven matten zaten, elk met een bosje verse, opwekkende qat onder handbereik en hun mond vol blaadjes. Ze waren allemaal verzonken in een soort herkauwende meditatie en hingen aan zijn lippen, alsof het een zaak van leven en dood was. (Gek genoeg was er ook een Italiaan bij die geen Somalisch sprak, maar evengoed instemmend knikte bij alles wat krijgsheer C. zei.) Omdat de Italiaan geen geoefend qat-kauwer was had hij er een enorme homp van in zijn mond gestopt, waardoor hij net een sukkelige geit leek die somber zijn voer stond te herkauwen.

Om beurten hielden krijgsheer C. en ik een onsamenhangend verhaal, zonder iets van enig belang te zeggen. Krijgsheer C. was zo'n charmeur dat hij het idee had dat hij zelfs de duivel nog zou kunnen overhalen zijn duivelse praktijken af te zweren. Maar omdat ik hem doorzag, wist hij mij niet zo gek te krijgen dat ik de wereld door zijn ogen bekeek. Het stemde me somber dat ik niet in staat was om echt te praten met de man die er volgens vele Somaliërs verantwoordelijk voor was dat het land niet langer als eenheid functioneerde.

We waren net voor donker klaar en krijgsheer C. regelde een auto voor mij en zijn aangetrouwde familielid. We werden afgezet bij een hotel een paar kilometer van zijn redoute. Daar sprongen we in een taxi die ons naar ons hotel bracht, opgelucht dat ons niets was overkomen.

Terwijl ik in de taxi zat, viel het me op dat overal in de stad de geur van de dood hing. Omdat moeilijk viel te zeggen waar de stank vandaan kwam, vroeg ik me af of ik de stank had meegebracht van mijn bezoek aan het bewaakte terrein van krijgsheer C. Toen ik dat eenmaal had bedacht was alles doortrokken van die penetrante stank, was de lucht er opeens van vergeven, bleek hij opeens op raadselachtige wijze in de muren te zijn getrokken, of uit de poriën te komen van alle andere moordenaars die ik sprak. Omdat de mensen die al langere tijd in de stad verbleven er geen erg in leken te hebben, nam ik aan dat mensen zich steeds minder bewust worden van alle verwoestingen om hen heen, naarmate ze er langer middenin zitten.

Nadat ik bij krijgsheer C. was geweest en niet in staat was gebleken om met hem over vrede te praten, was ik voortdurend met de dood bezig en bedacht ik hoe alle allianties die uit nood-zaak zijn geboren en inderhaast zijn gesmeed, de luimen van de plaatselijke politiek hebben beïnvloed. Onschuldige burgers raak-ten steeds vaker verstrikt in het kruisvuur van de verschillende groeperingen die over vrede spraken, zonder dat ook maar ie-mand echt iets deed om de strijdende partijen met elkaar te ver-zoenen. Ik voelde me ongemakkelijk te midden van alle wapens, in handen van achteloze jongelui die zich slechts gebonden voel-den aan hun eigen wetten.

Welke indrukken nam ik mee toen ik Mogadishu na een ver-blijf van acht weken weer verliet? Ik kan niet verklaren waarom mijn aankomst in de stad me helderder voor de geest staat dan mijn vertrek. Ik herinner me dat ik vrijwel elke dag over vrede praatte, met mensen die ik van vroeger kende. Ik herinner me dat ik heel druk in de weer was met vruchteloze pogingen om vrede te stichten, om te schipperen tussen de federale overgangs-regering, die twee jaar eerder in het leven was geroepen, en de krijgsheren die daar de strijd mee hadden aangebonden, met wei-nig tot geen resultaat. Al had ik nog zoveel angsten uitgestaan en zorgen gehad – vanwege mijn voortdurende contacten met de strijdende partijen –, ik voelde me een rots in de branding, sterk en onverschrokken.

Ik luisterde dag in, dag uit naar mensen die elkaar beschuldi-gingen naar het hoofd slingerden, die steevast een ander de schuld gaven van het fiasco waar we allemaal ons steentje aan hadden bijgedragen, hoe groot of klein ook. Onwillekeurig ging de ge-dachte door mijn hoofd dat wij, Somaliërs, echt niet uniek wa-ren. Uiteindelijk waren we net als ieder ander, overal ter wereld reageren mensen zo als de dingen fout lopen. Mensen weigeren hun eigen verantwoordelijkheid onder ogen te zien, leggen de schuld bij een ander en reageren vervolgens hun woede af op ie-mand die zwakker is.

In de tegennatuurlijke situatie waarin er sprake is van een in-terne machtsstrijd komt een eventuele vrede veel langzamer tot stand dan wanneer de strijd wordt gestreden door groeperingen

die niets met elkaar gemeen hebben, die geen onderlinge be-
trekkingen onderhouden. In een oorlog tussen 'intimi', om een
Engelse dichter te parafraseren, luistert elk oor naar zijn eigen gehoor, totdat niemand meer iets hoort hoewel iedereen luistert.

Ik hoop dat er ooit een tijd zal komen dat de oases van rust
die we her en der aantreffen, in aantal zullen toenemen. Misschien
dat wij ons dan in steeds groteren getale en op steeds meer plekken veilig zullen voelen, totdat dit uiteindelijk voor het hele
schiereiland opgaat.

Verloren in patience

DOUGLAS COUPLAND

Opgenomen met toestemming van *Forbes*, New York, 30 november 1998

Douglas Coupland is schrijver en beeldend kunstenaar. Hij is geboren in Vancouver, waar hij
nog altijd woont en werkt. 'En dat is het wel
zo'n beetje,' aldus Coupland. 'Al het overige is
ijdelheid.'

Ik zit op dit moment in een 737 die in zuidelijke richting van Vancouver, mijn woonplaats, naar Los Angeles gaat; een vlucht van drie uur. Achter het raampje rechts van me schijnt de zon. Er is net een maaltijd geserveerd – biefstuk met vermicelli –, 'zuidwaarts biefstuk, noordwaarts kip', luidt het oude gezegde. Mijn laptop laat me weten dat ik net mijn 1.523-ste potje *Eric's Ultimate Solitaire* heb gespeeld. Mijn totale speeltijd is 61 uur, wat grofweg neerkomt op 2 minuten en 24 seconden per spel. Ik heb 10% van alle spellen gewonnen en mijn gemiddelde score is 11 van de 52. Maar ere wie ere toekomt: ik ben de laatste tijd met sprongen vooruitgegaan. Ergens rond potje 800 of 900 hebben mijn hersenen zich helemaal naar het spel gevoegd.

Maar goed, 61 uur patience – het spel dat aan mijn hersenen knaagt. Dik twee volle dagen van mijn leven besteed aan het op elkaar stapelen van denkbeeldige, elektronische speelkaarten. Ik weet niet of dat meelijwekkend is of juist cool. Misschien wel allebei. Maar het leven is kort, tijd is kostbaar – waarom heb ik het gedaan? En waarom zal ik naar alle waarschijnlijkheid nog vele duizenden uren van mijn bestaan blijmoedig verdoen met patiencen?

Ik vlieg meer dan de meeste andere mensen. Dat heeft deels te maken met mijn werk en deels met het feit dat mijn vader straal-jagerpiloot in het Canadese leger is geweest, en in het weekend nog altijd met een watervliegtuigje langs de kust van British Columbia vliegt. Ik kan me de dag niet heugen dat ik niet vloog. Voor mij voelt het vreemder om een taxi te nemen dan om van Vancouver naar Frankfurt te vliegen, over Groenland, waar ik het noorderlicht zie dansen. Een snelle en zeer voorzichtige schatting leert dat ik dik een jaar van mijn leven in de lucht of op een vlieg-veld heb doorgebracht – honderden malen meer dan de tijd die ik aan *Eric's Ultimate Solitaire* heb besteed.

Tien jaar geleden was vliegen nog leuk. De bestemmingen wa-ren exotisch en de stoelen stuk voor stuk zeer comfortabel. En dan het eten! Nou ja, eerlijk gezegd zijn de maaltijden nauwe-lijks veranderd. Tien jaar geleden zou ik aan boord biefstuk met 'noedels' hebben gekregen.

Maar met het verstrijken der jaren is mijn enthousiasme voor het vliegen bekoeld. Wie veel vliegt zal de ontwikkeling her-kennen: Je maakt niet langer een praatje met degene die naast je zit; je raakt verslaafd aan eersteklas of businessclass; je perfectio-neert je handbagagestrategie. Enzovoort. Vliegen verwordt tot een noodzakelijk kwaad waar alle glans vanaf is. De laatste stap is bid-den dat wij, de mensheid, zo snel mogelijk *Star Trek*-teleporta-tie-apparatuur ontwikkelen: 'Straal me over naar O'Hare, Scot-ty!'

Sommige mensen, zoals ik, kunnen lezen noch slapen in het vliegtuig, en tot voor kort zocht ik wanhopig naar manieren om de uren die ik in de lucht doorbracht enigszins draaglijk te ma-ken. Op een gegeven moment stond vliegen voor mij gelijk aan uren achtereen naar de achterkant van de stoelleuning voor me staren. Alles werd totaal anders toen ik mijn eerste laptop kreeg – wauw! Ik dacht dat het gedaan was met het probleem van de vlieguren. En dat was ook zo, totdat na 37 minuten de accu het begaf. Dus kocht ik een andere laptop, waarbij de verkoper me voorloog, en die gaf na 38 minuten de geest. Dus uiteindelijk kocht ik de laptop waar ik nu op werk, niet vanwege allerlei flitsende extra's, maar vooral (letten we even op, fabrikanten?) vanwege het feit dat ik er twee uur onafgebroken op kan werken. En met deze computer diende zich ook de belangrijkste ontdekking van het afgelopen jaar aan: Tijd die je doorbrengt met patiencen op de computer is tijd die in het niets verdwijnt. Volledig. Ik stap in een vliegtuig, ik zet hem aan, ik speel, ik knipper met mijn ogen en het is twee uur later. Wauw. Eindelijk een manier om de tijd echt te kunnen uitvagen.

Afgaande op de opwinding die ik voelde, zou je haast denken dat ik uranium had ontdekt of het wiel had uitgevonden. Mijn vader zette me al snel weer met beide benen op de grond. 'Patience?' zei hij. 'Toen ik in 1958 in Groenland was gestationeerd, in Thule, zaten we hele dagen te patiencen. Zonder patience zou ik gek zijn geworden.' Een genetische link!

Afgelopen Kerstmis, rond de tijd dat ik mijn nieuwe laptop aanschafte, gaf mijn broer mijn vader een kleine pc cadeau waarop, je raadt het al, patience stond. Mijn vader speelt het nu vrijwel dagelijks in zijn flatje. Afgelopen week vroeg ik hem waarom hij dat doet, terwijl hij het al zo druk heeft. 'Nou, heel simpel,' zei hij. 'Elke keer dat ik op die toets druk en nieuwe kaarten krijg, geeft het me zo'n enorme voldoening dat ik de kaarten niet zelf hoef te schudden en delen. Een soort compensatie voor alle uren van mijn leven die ik heb verkwist met het schudden en delen van kaarten.'

Sommige indianen aan de westkust van British Columbia geloven dat als je reist – of dat nou in een kano of een Concorde is – je ziel je achterna komt in je eigen wandeltempo. Ik denk aan alle keren dat ik naar Australië, Chili of Italië ben gevlogen en zie mijn dappere zieltje voortploeteren, op nog maar een paar kilometer van het vliegveld van Vancouver, waar de reis is begonnen. Daar moet ik aan denken, en aan het verlangen om de tijd te doden als je in de lucht zit – ik vraag me af of er een verband is, of de afwezigheid van een sturende ziel in je binnenste de noodzaak met zich meebrengt om de tijd te doden. We zijn maar al te zeer bereid om de merkwaardige realiteit te accepteren van de geografische verplaatsing – ontwaken in Vancouver en weer gaan slapen in Oslo –, maar we weigeren te geloven in tijdsstoornissen. Dan bedoel ik geen gewone jetlag, maar wezenlijke schade aan de tijdsbeleving en de ziel, die ontstaat doordat we van het ene continent naar het andere vliegen. We proberen de onrust de kop in te drukken. We zoeken het noorderlicht. We zoeken een rode acht, voor op een zwarte negen. Ik zoek de 61 uur die zijn opgegaan aan virtueel patience, maar ik weet dat ik ze nooit zal vinden. En ik weet dat er in de toekomst nog veel meer tijd verloren zal gaan.

De gezagvoerder heeft net omgeroepen dat we over twintig minuten zullen landen in Los Angeles. De vlucht is 'snel' gegaan omdat ik dit heb geschreven, iets wat zowel emotie als beschouwing vereist. Misschien zou ik vaker een gesprekje moeten aanknopen met degene naast me. Misschien moet ik mezelf voorhouden dat ik bij elke druk op 'enter' niet zomaar een stapel glanzende koningen, koninginnen, boeren en azen schud, maar in plaats daarvan een schitterend kaartenhuis bouw. Een prachtige plek waar mijn ziel zou kunnen vertoeven, in plaats van tot in lengte van dagen van de ene stad naar de andere te moeten sjokken. Ik ben 42. Ik heb de nodige kilometers gevlogen en er zullen er nog de nodige volgen. Mijn ziel zal inmiddels wel blaren op zijn voeten hebben.

Naar Beechy Island

MARGARET ATWOOD

De boeken van Margaret Atwood zijn verschenen in meer dan veertig landen. Ze heeft ruim vijfendertig boeken gepubliceerd: romans, dichtbundels en kritische essays. Haar meest recente roman is *Penelope: de mythe van de vrouw van Odysseus*. Met *Oryx en Crake* stond ze op de shortlist van de Man Booker Prize, de Orange Prize en de Giller Prize. Enkele van haar andere romans zijn *De blinde huurmoordenaar*, waarmee ze in 2000 de Booker Prize won, *Alias Grace*, dat in Canada de Giller Prize werd toegekend en in Italië de Premio Mondello, *De roofbruid*, *Kattenoog* en *Het verhaal van de dienstmaagd*. Ze woont in Toronto samen met schrijver Graeme Gibson.

'De toerist hoort dezer dagen bij het landschap, zoals dat in de middeleeuwen voor de pelgrim gold.'

V.S. Pritchett, *The Spanish Temper*

Een week voor mijn pelgrimstocht begon, vonden mijn partner, Graeme Gibson, en ik een dode kraai in onze achtertuin. West-Nijlvirus, dachten we. We legden de vogel in de diepvries en belden de bestrijdingsdienst. Ze kwamen de bevroren kraai ophalen, maar zeiden dat ze ons de diagnose niet zouden meedelen omdat ze niet wilden dat er paniek uitbrak. Inmiddels was het tot me doorgedrongen dat ik wat olie op had moeten doen voor ik de rozenstruiken ging snoeien: er waren wel een paar muggen geweest.

De dag voor mijn vertrek bespeurde ik een paar roze vlekjes rond mijn middel. Ik hield het er maar op dat een Vietnamese loempia de boosdoener was. Misschien was ik daar allergisch voor.

Algauw werden de vlekjes talrijker. Ze verspreidden zich over een groter gebied. Ik controleerde of mijn tong beslagen was, of ik een licht gevoel in mijn hersens had, of mijn nek stijf aanvoelde. Ik voelde me wel merkwaardig, al leek dat niemand anders op te vallen. Inmiddels zat ik in een vliegtuig op weg naar

Groenland, en toen bevond ik me plotseling – de tijd gaat snel als je wemelt van de microben – op de *Akademic Ioffe*, een Russisch schip voor poolonderzoek. Ik was op tijdelijke basis toegevoegd aan de staf van een club genaamd Adventure Canada, die deze Russische onderzoeksboot in onderhuur had van Peregrine, een Australisch reisbureau dat het schip doorgaans huurt voor cruises naar de Zuidpool. Ik had een gemengd gezelschap bij me aan boord: de Russische bemanning, de lui uit Australië die het 'hotelgebeuren' van de reis bestierden, en de Canadezen die het dagprogramma opstelden en regelden voor de pakweg honderd gretige avonturiers die een tocht hadden geboekt. Ik had de opdracht een tweetal praatjes te houden over ontdekkingstochten in het hoge Noorden en de vorm die ze onder invloed van literaire en artistieke concepten hebben gekregen – een taak waartegen ik me in mijn door virussen bevangen toestand nauwelijks opgewassen voelde.

Al spoedig voeren we door de lange, zeer lange Sondreströmfjord – een fjord is een dal dat eerst door een gletsjer werd uitgeschuurd en daarna is volgestroomd met zeewater, zoals onze meevarende geoloog had uitgelegd. Daarna zetten we koers naar het noorden en reisden we langs de westkust van Groenland, varend tussen kolossale, imposante ijsbergen. De zee was blauw, de lucht was blauw, de ijsbergen waren eveneens blauw, althans hun recentelijk afgespleten oppervlak: een onaards soort blauw, als inkt, kunstmatig. Toen we ertussendoor zigzagden in onze rubberboten, bruiste het water omdat het ijs na duizend jaar de daarin samengeperste lucht liet ontsnappen.

We waren op weg – uiteindelijk – naar Baffin Bay, daarna kwam de Lancaster Sound, en ten slotte Beechy Island, waar in 1847 de eerste drie leden van de tragische Franklin-expeditie waren begraven. Was ik voorbestemd om naast hen te komen liggen? Dat speelde me door het hoofd, terwijl rechts de bergen oprezen, links zich de fonkelende ijszee uitstrekte, en elke zonsondergang uren duurde. Kon mijn hoofd elk moment ontploffen, om redenen die de toeschouwers een raadsel zouden zijn? Stond de geschiedenis op het punt zichzelf te herhalen, en zou ik om onbekende redenen creperen, kort daarop gevolgd door de complete lijst van passagiers en de bemanning, net als bij de expeditie van Franklin? Ik heb deze gedachten met niemand gedeeld, al leek het me wel gepast om een paar onleesbare maar indringende notities te maken die ze later zouden terugvinden, in een oud blik of een plastic pillendoosje, net als het koeterwaals op het vodje papier dat het debacle van Franklin overleefde: *O, geprangde droeven.*

Maar mijn onderwerp was pelgrimstochten, of althans eentje. Van mij werd verwacht dat ik een pelgrimstocht zou beschrijven – deze, die ik nu aflegde. Maar in mijn vlekkerige toestand – de vlekken hadden inmiddels mijn polsen bereikt, en mogelijkerwijs ook mijn hersenpan – kon ik me niet goed concentreren op de overkoepelende gedachte. Wat was een pelgrimstocht? Had ik er ooit eerder een gemaakt? Mocht je waar ik nu mee bezig was als een pelgrimstocht beschouwen? En zo ja, in welk opzicht dan?

Ik had in mijn jonge jaren een aantal pelgrimstochten gemaakt, als je ze zo wilt noemen. Ik had naast de weg staan overgeven in de contreien van Wordsworth. Ik had de pastorie van de familie Brontë bezichtigd en me verwonderd over de minuscule afmetingen van de vermaarde bewoners. Ik was in Londen naar het huis van dr. Johnson geweest, en naar het Huis met de Zeven Gevelpunten in Salem, Massachusetts. Maar telden deze tripjes wel mee? Ze vonden stuk voor stuk per ongeluk plaats: ik was toevallig in de buurt. In hoeverre maakt het doel het wezen uit van de pelgrimstocht, en niet de reis als zodanig?

Het Engelse woordenboek benadert de kwestie vrij soepel: een pelgrim kan simpelweg een zwerver zijn, iemand die rondreist. Het kan ook iemand zijn die op weg gaat naar een heilig oord om daarmee zijn religieuze bevlogenheid te uiten. Het heeft te maken met verplaatsing, niet per se met relikwieën. Maar de verplaatsing dient langdurig van karakter te zijn – een wandelingetje naar de buurtwinkel voor een heel gesneden wit voldoet niet aan de eisen. De tocht mag ook – vanzelfsprekend – geen commercieel oogmerk hebben. Marco Polo was een reiziger van wereldformaat, maar geen pelgrim. Ook zou een pelgrimstocht goed voor je zijn: goed voor je gezondheid (de tempels van Asclepius, Lourdes, het hart van Broeder André met zijn woud van achtergelaten krukken), of goed voor je zielenheil (schaf een aflaat aan, verkort je verblijf in het vagevuur, word Pilgrim Father, sticht het goedertieren nieuwe Jeruzalem, ergens in de buurt van Boston).

Onnodig te vermelden dat niet elke pelgrimstocht geheel aan de gewekte verwachtingen voldoet. Neem nou de kruistochten.

Maar als ik aan pelgrims dacht, dacht ik allereerst aan de literatuur. De meeste pelgrims die ik kende, was ik tegengekomen op papier.

Je hebt Chaucer, natuurlijk: zijn pelgrims op weg naar Canterbury vormen een gezellig groepje, ze maken de tocht samen omdat het lente is, en omdat ze zwerflust hebben, en voor de lol. Welk religieus sausje ze er ook overheen gieten, ze genieten vooral van het reizen in opgewekt gezelschap, van het commentaar op elkaars garderobe en wapentuig, en van de vertelde verhalen.

Je hebt ook de pelgrimvariant uit de zeventiende eeuw, met als lichtend voorbeeld de exemplaren uit *Pilgrim's Progress* van Bunyan. Voor deze gestaalde protestanten leidde de reis van de pelgrim niet naar een heiligdom, maar dwars door dit tranendal der stervelingen via vele spirituele worstelingen naar zijn einddoel, het hemelse huis dat hij na zijn dood zou bereiken.

De achttiende eeuw deed liever aan hoogculturele en nostalgische reizen dan aan pelgrimages, maar met de komst van de Romantiek was ook de pelgrimstocht weer helemaal terug. Neem bijvoorbeeld *Childe Harold's Pilgrimage*, het lange gedicht van Byron. De held van het verhaal is een lapzwans, al is hij vervuld van een rusteloos smachten naar hij weet niet wat. Maar de heilige plaatsen die hij aandoet zijn geen kerken. Het zijn schitterende landschappen met velerlei klippen en kloven, en het gedicht eindigt met een lofzang op de grootsheid van de oceaan, die ook het volgende vaak geciteerde couplet bevat:

Rol door, diep donkerblauwe zee – rol door!
Tienduizend vloten bestrijken u vergeefs.
De mens verwoest de aarde – zijn bereik
Stopt bij de vloedlijn. Op het watervlak
Is elk wrak uw werk, noch blijft bestaan
Van 's mensenramp een schim, de zijne slechts,
Als hij momenteel, een regendrup gelijk,
Diep wegzinkt met wat bellen en een kreun,
Zonder graf, gebed, of doodskist of bericht.

Als we al deze verschillende vormen van pelgrimage op een hoop vegen, wat zien we dan? Op het eerste gezicht niets wat erg eenduidig is. Maar toch zijn er wel een paar onderlinge verbanden. Zo is de pelgrim – kennelijk – nooit als eerste ter plekke. Er is daar telkens al iemand anders eerder geweest, die vervolgens onfortuinlijk (zij het heldhaftig en uitermate heilig) aan zijn of haar einde is gekomen. Juist ter ere van deze voortrekkers neemt de pelgrim zijn staf ter hand. De leutige schare bij Chaucer trekt richting Canterbury, plaats delict van de moord op Thomas à Beckett. Bunyans pelgrims proberen in het voetspoor van de gekruisigde Christus te blijven, en zelfs *Childe Harold* van Byron eindigt met een overdenking van de talloze gevallen van schipbreuk en verdrinking. Blijkbaar gaat er aan een levende pelgrim normaal gesproken een lijk vooraf.

In de reis die ik had ondernomen, waren bestanddelen van alle drie de soorten pelgrimage aanwezig. Ik vertoefde in een vrolijk gezelschap, vertelde verhalen en luisterde ook naar die van anderen. Ik was ooggetuige van schitterende landschappen, en ook van schitterende zeeschappen, en dacht veel aan dode scheepslieden en verzonken vaartuigen.

Ik had mezelf weliswaar niet in spirituele worstelingen begeven, maar degenen die deze route zijn spookachtige beruchtheid hadden bezorgd zeer zeker wel. Wij volgden dezelfde waterweg als Franklin en zijn mannen, toen ze in 1845 vertrokken om de noordwestelijke doorgang te ontdekken en nooit meer werden teruggezien. Tussen hun hoopvolle vertrek en de vondst van hun eetgerei en kaalgevreten botten moet zich behoorlijk wat zielensmart hebben afgespeeld.

Toch was Franklin zelf niet het directe doelwit van mijn pelgrimstocht. Boven aan mijn agenda stond mijn vriendin en collega-dichteres Gwendolyn MacEwan. Zij had in de vroege jaren zestig, toen ze zelf begin twintig was, voor de radio een zeer bijzonder hoorspel op rijm geschreven over de Franklin-expeditie, met in de titel de twee schepen van Franklin: de *Terror* en de *Erebus*. Ik had deze productie de eerste keer dat hij werd uitgezonden gehoord, en was er erg door aangegrepen – temeer daar Gwen nooit binnen de poolcirkel was geweest en nooit de drie indrukwekkende graven van de Franklin-expeditie had bezocht. Alleen in haar verbeelding had ze deze zeeën bevaren, en ze was halverwege de veertig gestorven, zonder ooit een ijsberg te hebben gezien.

Mijn pelgrimstocht – als hij zo mocht heten – maakte ik voor haar. Ik zou gaan waar zij niet had kunnen gaan, staan waar zij nooit gestaan had, zien wat zij louter voor haar geestesoog had gezien.

Een sentimentele onderneming. Maar pelgrims zijn van nature sentimenteel.

De reis vorderde. Elementen van de pelgrimage bij Chaucer kwamen tevoorschijn tijdens het eten, met jolige verhalen en grappen waarbij Vikingkostuums, Schotse rokken en plakbaarden een rol speelden, en bij één gedenkwaardige gelegenheid zelfs een met bont beklede zonnebril en dito toque. De protestants-spirituele zoektocht der introspectie was meer een individuele kwestie, zoals die dingen gaan: aan boord werd flink wat in dagboeken genoteerd. Regelmatig waren bespiegelingen te beluisteren omtrent de toestand van de mens en die van de natuur: niet zozeer zorg over het leven na dit bestaan als wel over de nabije toekomst, want zelfs voor het ongeoefende oog was het glashelder dat de opwarming van de aarde geen verzinsel is en dat de gletsjers zich in hoog tempo terugtrekken.

De Byron-versie van de pelgrimstocht beleefde men op de brug of (met wanten aan) op het dek, wanneer het (waar vind ik het passende adjectief? Met 'spectaculair', 'grandioos' en 'schitterend' red ik het echt niet) onbeschrijflijke uitzicht voorbijgleed. 'Moet je die ijsberg/rotspunt/bergwand daar zien,' zeiden mensen af en toe, geheel betoverd. 'Het lijkt wel een schilderij van Lawren Harris.' En ja, dat was zo, maar dan mooier, en die daar ook, en dan die ongelooflijke daar verderop, lila en groen en roze in de ondergaande zon, en daarna paarsblauw en een onwereldse kleur geel... Pas uren later merkte je dat je al die tijd met je mond open had staan staren.

Toen het tijd werd voor mijn eerste praatje aan boord, waren de oorspronkelijke roze vlekken aan het wegtrekken, maar er waren wel weer nieuwe bij gekomen. (Ze waren zo kies om bij de nek-lijn te stoppen.) Het rommelige karakter van mijn betoog werd waarschijnlijk toegeschreven aan de stuurloze toestand waarin 'creatieve' mensen dag in dag uit moesten verkeren. Ik overwoog nog even om iets over mijn curieuze kwaal te zeggen, maar misschien dachten ze dan dat er op het schip een enorm besmette-lijke ziekte heerste en dan zouden ze overboord springen, of zich per helikopter af laten voeren. Hoe dan ook, ik liep nog rond en kon nog praten. Ik had alleen zelf niet het idee dat ik volledig verantwoordelijk was voor wat er uit mijn mond kwam. 'Was het wat?' vroeg ik aan Graeme. Maar hij had op de brug naar de Noorse stormvogels staan kijken.

Wat heb ik gezegd? Ik begon met de mededeling aan mijn toe-hoorders dat Voltaire ze allemaal voor stapelgek had verklaard. Om geld te betalen voor een lange reis, niet naar een oord van beschaving waar de mens het onderwerp vormt van de studie der

mensheid, of zelfs maar naar een of ander welbestierd château omgeven door symmetrische bosschages, maar naar een ijskoud nie-
mandsland gevuld met zeer grote hoeveelheden rots, water en
zand – dat zou Voltaire het toppunt van dwaasheid hebben gele-
ken. Een mens waagt op dergelijke plekken slechts zijn leven als
er een goede reden voor is – geld verdienen, bijvoorbeeld. Wat
is er ergens halverwege Voltaire en ons veranderd – of halverwege Voltaire en bijvoorbeeld Sir Edmund Hillary die volkomen
zonder reden de Mount Everest beklom, en Scott die zinloos
doodvroor op de Zuidpool? Een wereldbeeld heeft zich gewij-
zigd. Burkes concept van het Sublieme werd een maatstaf in de
romantiek, en het sublieme kon zonder gevaar nooit het Sublieme worden. Door deze lens werd in de negentiende eeuw naar
de historie van de poolexpedities gekeken, en als iemand noordwaarts trok om deze landschappen te beschrijven en te schilderen, dan keek intussen de romantische held over zijn schouder
mee.

De expeditie van Franklin – heb ik geloof ik gezegd – vond
plaats op een soort keerpunt in de geschiedenis, het ogenblik dat
dergelijke riskante ontdekkingsreizen niet langer werden ondernomen met de intentie van materieel gewin – niemand geloofde
in 1847 nog hartstochtelijk dat de noordwestelijke doorgang de
weg naar China openlegde en Engeland fabelachtig rijk zou maken – maar werden nu begonnen in de geest van heldhaftig avontuur, als een soort duik van de Niagara-waterval in een houten
ton. Door de waaghalzerige globetrotters en potentiële martela-
ren werden niet langer de heidenen uitgedaagd, maar de Natuur
zelf. 'Met hun leven smeedden zij de laatste schakel,' luidt de inscriptie op Franklins gedenksteen in Westminster Abbey – een
inscriptie waarvoor Lady Jane Franklin zich lang en zeer gedreven heeft ingespannen, teneinde zeker te stellen dat Franklin gezien werd als een held in de romantisch-christelijke traditie. Maar
de laatste schakel waarvan? Van een idee. Want zoals Ken Mc-
Googan vakkundig aantoont in zijn boek *Fatal Passage* – dat ik
heb gelezen terwijl ik vlekkerig en wel de Baffin Bay bevoer –

heeft Franklin de noordwestelijke doorgang eigenlijk niet echt gevonden. In plaats daarvan ontdekte hij een andere watervlakte die altijd volgeklonterd zat met ijs, en die daarom niet had mogen meetellen.

Toen Franklin was gestorven en zijn schepen inmiddels drie jaar in het ijs hadden vastgezeten, waagden zijn mannen een tocht te voet, waarbij ze elkaar onderweg kookten en opaten. Toen het eerste nieuws over deze culinaire activiteiten Engeland bereikte, overgebracht door de onversaagde ontdekkingsreiziger John Rae, was Lady Franklin bijzonder geschokt: want als Franklin zich had overgegeven aan kannibalisme, dan was hij geen held maar meer een wel heel typische chef-kok. (John Rae, weten we inmiddels, had het goed wat het kannibalisme betreft, al was Franklin zonder twijfel al dood voor het in gang werd gezet.)

Ergens gedurende dit, naar ik moet toegeven, stuurloze praatje las ik een stuk uit het poëziehoorspel van Gwendolyn, waarin ze suggereert dat Franklin puur door verbeelding en wilskracht de noordwestelijke doorgang zelf creëert:

Ach, Franklin!
Om jou te volgen kun je kaarten missen.
Of grotendeels, maar dat komt straks.
Botten weten, net als instrumenten,
Hun laatste grens, hun metingen.
Het oog creëert de horizon,
Het oor bedenkt de wind,
De hand uit de mouw van het windjack
Wil dat bestaat wat hij nu aanraakt.

Een passend motto voor pelgrimstochten: want worden die niet bezield door een zuiver denkbeeldige schakel tussen plek en gevoel?

Toen we Baffin Bay waren overgestoken, reisden we verder door de Lancaster Sound, en kwamen we uiteindelijk tussen de woeste en – alweer schieten me adjectieven tekort – merkwaardig Egyptisch aandoende zandsteenrotsen van Devon Island. Devon is het grootste onbewoonde eiland ter wereld. Zagen we daar die twee ijsberen aan een dode walrus knagen terwijl groepjes zeehonden in het kleine haventje rondzwommen? Ik zie dat ik de gebeurtenis en de datum heb genoteerd – 1 september – maar niet de precieze plek. Er waren meerdere vindplaatsen met sporen van het Thule-volk – de voorlopers van de huidige Inuit – en onze boordarcheoloog gaf ons een toelichting. De enorme walvisribben die ooit als dakspant hadden dienstgedaan, stonden er nog steeds.

De zon scheen, het windje blies. Hoewel het herfst was, stonden er nog steeds enkele poolbloemen in bloei. Pakak Inukshuk en Akoo Peters, mensen van het centrum voor Inuitcultuur, dansten bij een trommel en zongen. Op zulke momenten leeft het poolgebied intens en volop. Dan lijkt het een welgezind landschap, mild, wazig en gastvrij, een plek vol genietingen.

De dag daarop was het kouder en stak de wind op. We hadden de uiterste westpunt van Devon Island bereikt en gingen voor anker in de haven van Beechy Island, een kleine uitstulping aan de westkant van Devon. Hier hebben de twee schepen van Franklin, de *Terror* en de *Erebus*, hun eerste winter doorgebracht, beschut tegen de verbrijzelende kracht van het ijs. De kustlijn, die ooit de rand vormde van een warmere zee die krioelde van de levensvormen, ligt nu vol fossielen en is verder kaal. De wind heeft er vrij spel. Velen zijn er na Franklin op bezoek geweest, velen hebben er geposeerd voor de camera, naast de drie graven, velen hebben er staan piekeren.

Enkele jaren geleden zijn de drie lichamen weer opgegraven, in een poging om meer over de expeditie te weten te komen. De wetenschappers die bij dit plan betrokken waren – zoals te lezen staat in *Frozen in Time*, het boek van John Geiger –, hebben ontdekt dat een hoog gehalte aan giftig lood, afkomstig van het ingeblikte voedsel, aanzienlijk moet hebben bijgedragen aan de rampspoed. De blikken zelf kun je nog terugvinden op het strand: de naden zijn dichtgesoldeerd met lood zo dik als gesmolten kaarsvet. In die tijd werden de gevaren van loodconsumptie nog niet onderkend, en de symptomen lijken sprekend op die van scheurbuik. Lood tast het immuunsysteem aan en veroorzaakt gebrekkige oriëntatie en een irrationele besluitvorming. De voorraden die bedoeld waren om de expeditieleden in leven te houden, waren in werkelijkheid hun doodsoorzaak.

We verlieten de *Akademic Ioffe* met behulp van de rubberboten en maakten een wandeling langs het strand. Ik was inmiddels vlekvrij, maar toch voelde ik me nog vreemd gewichtloos. Na de graven bezocht te hebben – de gedenkstenen zijn tegenwoordig replica's, aangezien de originelen te lijden hadden onder de aanvechting van elke pelgrim om iets los te pulken als bewijs dat hij er echt geweest was – gingen Graeme en ik op de kiezels naast een oude kolenschuur zitten, waar vroeger de schepen voorraden achterlieten voor andere schepen, tot de opslagplaats door de ijsberen aan flarden werd gescheurd. We aten een reep chocola, voor deze gelegenheid door mij angstvallig bewaard, en proostten op Gwen met water uit onze veldfles. Graeme zong 'The Ballad of Lord Franklin', waarbij zijn woorden door de wind werden weggegrist. Verderop langs het strand begon men doedelzak te spelen, zo ver weg dat we het nauwelijks konden horen.

Warrige gedachten over ruimte, leegte, gaten. Springen over een spleet, schreef ik in mijn aantekenboek. *Woorden drijven naar de overkant.*

De volgende dag werden we belaagd door drijvend pakijs, net als Franklin. Het was verbluffend hoe snel het ijs zich voortbewoog, en met hoeveel kracht. We moesten meer dan honderd kilometer omvaren om er niet door gehinderd te worden.

Pelgrims nemen traditiegetrouw iets mee van hun reis. Soms was het een kokkelschelp om te laten zien dat hij in Jeruzalem was geweest, of een peperdure splinter die echt van het originele kruis afkomstig moest zijn, of een vingerkootje dat zogezegd aan een heilige zou hebben toebehoord. Hedendaagse pelgrims, vermomd als toerist, komen thuis met foto's van zichzelf terwijl ze hun tong uitsteken naar de Eiffeltoren, of ansichten, of een gekocht aandenken – koffielepeltjes met het wapen van de stad erop, honkbalpetjes, een asbak.

Er stond geen stalletje met ontdekkingsreizigerkootjes of t-shirts met *Souvenir van Beechy Island* erop, dus heb ik een kiezelsteen mee naar huis genomen. Hij zag er exact hetzelfde uit als de rest van de miljoenen andere kiezelstenen op het strand – vaalgele zandsteen, geen opvallende kenmerken. Die steen ging met me mee naar Toronto, in mijn toilettas.

Zodra ik weer thuis was, belde ik mijn huisarts en beschreef mijn symptomen. 'Volgens mij heb ik het West-Nijlvirus gehad,' zei ik. 'Lastig te zeggen,' was zijn antwoord. (Was het helemaal fout gelopen, dan hadden ze me tenminste niet in de permafrost begraven. Ik was in de vrieskast aan boord gepropt, die er speciaal voor dat doel staat, opdat de doden niet worden aangezien voor boeuf stroganoff.)

Op een warme, droge dag midden in september heb ik de kiezelsteen uit Beechy Island in mijn zak gestopt, een opscheplepel uit de keuken gehaald, en ben ik gaan lopen naar het Gwendolyn MacEwan Park. Ik beeldde me het vast nogal ironische gedicht in dat Gwen had kunnen schrijven, zowel over haar park als over de steenceremonie waaraan ik me zo direct ging wijden. In mijn gezelschap was David Young, die een van zijn toneelstukken – *Unimaginable Island* – laat gaan over de nimmer geëerde helden van Scotts expeditie naar de Zuidpool. Nimmer geëerd omdat ze zo stijlloos waren om in leven te blijven. Om een held te kunnen zijn – zeker in de negentiende en vroege twintigste eeuw – was het eigenlijk verplicht om dood te gaan.

Toen we het park hadden bereikt, stond David op de uitkijk terwijl ik met mijn lepel een stoffig gat groef en de kiezelsteen erin stopte. Dus nu ligt er, pal in het hart van duister Toronto, en alleen ik weet precies waar, een minuscuul brokje geologie dat helemaal van Beechy Island afkomstig is. Het enige verband tussen de twee plekken is een daad die op verbeelding berust, of misschien wel twee daden – de verbeelding van de noordwestelijke doorgang door Franklin, en de verbeelding van Franklin door Gwendolyn MacEwan, tweeëntwintig jaar oud:

Dus ben ik je hierheen gevolgd
Als zoveel anderen, speurend naar een relikwie
Van je schepen, je mannen.
Hier bij dit nare klooster,
Waar jij stierf, en Crozier stierf,
En iedereen stierf die bij je was,
Op zoek naar de doorgang van droom naar
werkelijkheid...

Wereldkampioenschap 1989

RODDY DOYLE

Roddy Doyle werd in 1958 geboren in Dublin. Hij schreef zijn eerste roman, *The Commitments*, in de tijd dat hij lesgaf in aardrijkskunde en Engels op een scholengemeenschap in Dublin. Dat boek werd opgevolgd door *De bastaard* en *De bus*. 'Ik heb van tevoren niet de opzet om komische verhalen te schrijven,' zegt Doyle. 'Ze worden door het onderwerp vanzelf grappig.' In 1993 won hij de Booker Prize met *Paddy Clarke Ha Ha Ha*. In 1996 verscheen *De vrouw die tegen de deur aanliep*, gevolgd door *De ster Henry Smart* en *De man achter Louis*.

1990 begon op 4 juni 1989. Ayatollah Khomeini ging dood en Ierland won van Hongarije in een kwalificatiewedstrijd voor het wereldkampioenschap, in het Lansdowne Road-stadion in Dublin. Na de wedstrijd gingen we naar Toner's in Baggot Street. Het zat er goed vol, je moest je naar de tapkast wringen. Veel zeiden we niet. We grijnsden voornamelijk.

Het journaal begon. We dromden naar de hoek van het café, naar de tv. Ik belandde in een positie waarbij ik tussen schouders, hoofden en opblaasbananen bijna het hele scherm kon zien. En ik wachtte op het sportjournaal, om te zien of het doelpunt van Paul McGrath net zo mooi was als het er in levenden lijve had uitgezien, en misschien kon ik zelfs, als iedereen ontzettend stil was, Jack Charlton horen praten op de persconferentie na afloop. Verder wilde ik gewoon met iedereen meejuichen. Ik klemde mijn *pint* onder mijn oksel – waar ook baby's passen als ze een boertje moeten laten of als je er even mee wilt rondlopen – en keek toe.

Eerst de foto van Khomeini.

Wij joelden.

Toen duizenden rouwende mensen in Teheran.

'Die hebben zeker een wedstrijd verloren.'

'Ach, zalig zijn de kneuzen.'

Toen Salman Rushdie. Weer gejoel van ons.

'EÉN SALMAN RRUSHDIE.'

'D'R IS MAAR ÉÉN SALMAN RUSHDIE.'

We hadden thuis al Spanje en Malta verslagen, en nu Hongarije.

'EÉN SALMAN RUSH-DIEEE.'

Bleef over Noord-Ierland in Lansdowne.

'Eitje.'

En Malta, op Malta.

'Makkie.'

Spanje verslaan in Lansdowne, dat was een genot en een kwelling geweest. Na de eigen goal van Michel in de eerste helft had ik de rest van de wedstrijd voornamelijk naar de klok zitten kijken. We hadden een lekker gevoel na die pot, maar dit voelde beter. Ik kreeg lef genoeg om het idee te laten postvatten: wij gingen ons plaatsen. Na jaren van bijna raak, slecht voetbal, regen, kippige scheidsen en kloothufters van grensrechters, gingen we het voor elkaar krijgen. Je zag het zo: iedereen dacht precies hetzelfde. En het doelpunt van Paul McGrath was net zo mooi als het er eerder uit had uitgezien.

In oktober wonnen we van Noord-Ierland, drie-nul, na een linke eerste helft.

Nu Malta nog.

De mist op het vliegveld van Dublin was in de dagen voor de wedstrijd tegen Malta het voornaamste nieuws. De fans zaten vast. Van alle journalisten in Ierland en tv-camera's van de RTE zat de helft op dat vliegveld, en keek naar de fans. Het was Ierlands versie van 'jongetje klem in een waterput'. De camera vond een vrouw in tranen.

'Ik wil naar Malta,' huilde ze.

Achter haar, ergens in de menigte, een mannenstem.

'Waar is de woordvoerder van de Ierse luchtvaartmaatschappij?'

Op een tafel stond iemand van een reisbureau. Hij zag eruit als een man die zich voorbereidde op zijn eigen kruisiging. Naast hem stond ook een cameraman. Op de vloer stond een man tegen ze te praten, die erg zijn best deed om redelijk te blijven.

'We hebben ervoor betaald,' zei hij. 'Het heeft me driehonderdzeventig pond gekost, en we zijn nog niet eens het eiland af!'

'Waar is de woordvoerder van de luchtvaartmaatschappij?'

Het was vreselijk om aan te zien. Dit waren de aanhangers van Ierland, de luidruchtigste en bestgemutste fans ter wereld. Veel van deze mensen hadden Ierland overal gevolgd. Ze hadden gezien hoe ze werden ingemaakt door Trinidad en Tobago, en ze hadden het ene na het andere voorbeeld meegemaakt van het schunnige soort wedstrijdleiding dat onvermijdelijk ellende bracht als je meer dan vijftien kilometer buiten Dublin moest spelen. Dat had zich allemaal in de slechte oude tijd afgespeeld, en nu zou hun trouw eindelijk beloond worden en konden ze het land niet uit. En ze konden niet eens echt iemand de schuld geven.

Woensdagochtend loste de mist op. De meeste fans waren op tijd om te zien hoe Ierland won van Malta, met twee-nul. We zagen de wedstrijd in een café op Dame Street. We juichten waar het maar kon en kwamen overeind en beukten aan het eind tegen de lucht met onze vuisten, maar het was geen heerlijke middag. Die hadden we afgelopen juni gehad, na Hongarije.

'WE GAAN NAAR ITALI-JE-JE-JE, QUE SERA SERA.'

In juni 1970 was ik pas twaalf, en zat ik in de vijfde klas van de lagere school. Het wereldkampioenschap was in volle gang en ik was er helemaal ondersteboven van. Chelsea had de Engelse beker gewonnen. Twee spelers uit het team van Chelsea, Peter Bonetti en Peter Osgood, zaten in de Engelse ploeg. Dat waren de twee Texaco-buttons die ik het liefst wilde hebben. En ik kreeg ze te pakken. Mijn ouders steunden me in mijn verslaving. Ik vermoed inmiddels dat mijn vader zijn Volkswagen volgooide met Texaco, die er weer uit tapte en ergens wegmieterde, en dan weer een nieuwe tank ging halen. Tegen het eind van de Wereldcup in Mexico had ik het hele team compleet. Ik had Alan Mullery zeven keer en vier Bobby Moores. Mijn moeder kocht een Wereldcupsetje voor me, bestaande uit een grote overzichtskaart voor aan de muur en informatie over alle ploegen. Ik wist alles over de korte oorlog van El Salvador met Honduras na een omstreden voetbaluitslag. Nu klinkt het krankzinnig, maar toen was het volstrekt logisch. In de tweede ronde van ons wijkkampioenschap werd mijn team, Kilbarrack, met negen-nul afgedroogd door een ploeg uit Finglas met gloednieuwe shirtjes van El Salvador aan. Het was drie weken voor het wereldkampioenschap begon, en ik herkende ze meteen. Mijn zusjes kochten 'Back home' voor me, mijn eerste plaatje, gezongen door de ploeg van Engeland in de Wereldcup. Ik mocht tot midden in de nacht wakker blijven om de wedstrijden te kunnen zien. De volgende ochtend op school deed ik net of ik doodmoe was.

'Ik ben pas om twaalf uur naar bed gegaan.'

'Huh, dat is niks. Ik pas veel later dan twaalf uur.'

Ik las en keek en heb een hele maand mijn mond niet kunnen houden.

'Uwe Seeler is kaler dan Charlton.'

'Niet waar.'

'Welles.'

Ik heb me nooit, niet één keer, afgevraagd waarom Ierland niet in Mexico zat, waarom er geen Texaco-buttons van Ierland waren. In 1974 heb ik ze ook niet gemist. In 1978 heb ik een voorronde gezien in de studentenkroeg op het University College van Dublin. Ik kan me de tegenpartij niet herinneren. Het was geen goede dag voor Ierland, en ook niet voor de scheids. In het café was het stil. Toen klonk de stem van Jimmy McGee, de commentator van de RTE.

'Dit lijkt me een duidelijk geval van "Don't cry for me, Argentina".'

Uit de menigte werd een barkruk geheven die naast de televisie tegen de muur bonkte.

In 1982 zag ik hoe Noord-Ierland in Spanje alles in de wijde omtrek tegen de grond maaide, en ik juichte ze toe en vervloekte ze tegelijkertijd. Van de voorrondes van '86 weet ik niets meer, ook al ben ik naar alle thuiswedstrijden geweest.

In 1990 waren er wel Texaco-buttons van Ierland.

'Ik ga erheen. Jij ook?'

'Ja, zeker weten.'

Een van die twee zinnen heb ik vrijwel elke dag in de twee-de helft van 1989 hardop uitgesproken.

'Ik ga, zeker weten.'

Italië was zo ver niet. Het lag eigenlijk vlak om de hoek.

'Zeker weten.'

Toen kwam de loting op 16 december. Weer tegen Engeland, weer tegen Nederland – hetzelfde als in het Europees kampioen-schap – en tegen Egypte. Een grote teleurstelling: niet tegen Bra-zilië, niet tegen Argentinië, zelfs niet tegen Colombia.

'Ik ga nog steeds. Jij ook?'

'Denk het wel, ja. Moet het wel even thuis bespreken.'

Vanaf de muur van elke kroeg galmde in de slotweken van '89 de echo van 'Italië schijnt wel heel duur te zijn'.

'Zeven pond voor een *pint*, ongelogen.'

'Zestien pond voor een hamburger met patat, en volgens hem was het nog niet te vreten ook.'

Sardinië lag mijlenver van het vasteland. Het hoorde eigenlijk helemaal niet bij Italië. Van Sardinië oversteken naar Sicilië ging flink in de papieren lopen. Sicilië hoorde eigenlijk ook niet bij Italië, dat was zowat Afrika. Het was maffialand, als je even ver-keerd keek had je een mes in je rug. Ze waren helemaal niet zo-als de echte Italianen, lol maken was daar streng verboden.

'Op tv zie je het net zo goed.'

Ik bleef thuis. Dat was ik al die tijd al van plan. Ik schaamde me wel. Om Ierland te zien was ik nooit verder geweest dan vijf haltes met de boemel naar Lansdowne Road. De wedstrijd en daarna een paar *pints*, dat was de reikwijdte van mijn fanatisme zo'n beetje. Nu had ik de kans om de ploeg echt te volgen en ik deed er niets mee. Ik was wel eens in Italië geweest, ik vond het daar fantastisch. Maar ik ging niet. Ik zocht naar een bruikbare smoes, en vond er een: ik ging een huis kopen.

'Ga jij ook?'

'Nee, dat lukt niet. We hebben net een huis gekocht.'

'Tja, nee.'

'Ik wil heel graag, maar...'

Hier haalde ik dan mijn schouders op. Ik was machteloos.

Het werd juni. De scholen gingen dicht. De openingswedstrijd, Kameroen won van Argentinië. De volgende dag waren bij Arnotts in Henry Street alle Kameroen-shirtjes uitverkocht, en de stomerij op Kilbarrack Road had een speciale Wereldcupaanbieding: al je gordijnen schoon voor vijfendertig pond. Het zag er goed uit.

De Bayside Inn zat stampvol op de avond van de wedstrijd Ierland-Engeland, maar het was er geen herrie. Er waren mensen in het groen, maar ook weer niet zoveel. Er waren een paar Ierse driekleuren, maar niemand zwaaide ermee. Niemand zong iets. Ik was opgewonden, maar dat was ik altijd als Ierland moest spelen. Ik was zenuwachtig, maar dat was ik ook altijd. Ik had erger verwacht. Misschien werd ik er te oud voor. We vonden een tafeltje, zo'n hoog rond geval, parkeerden daar onze *pints* en wachtten af. We probeerden te voorkomen dat onze spanning te veel Guinness zou opslurpen. De volksliederen. Bij dat van hen een beetje boegeroep, niemand zong dat van ons mee.

We hoorden George Hamilton, de tv-commentator.

'Het moment van de waarheid is nabij.'

De wedstrijd begon. Lineker trapte af.

'Jow!'

We keken. We zeiden ooh, aah, we klapten, maar het was niet zo'n beste wedstrijd tot Engeland scoorde. Toen leek het een vreselijk doelpunt. De bal vloog over het hoofd van Mick McCarthy en zo te zien knalde Lineker hem er met zijn leuter in om daarna in het achternet te kruipen. Het werd stil in de kroeg.

'Kut.'

In de herhaling zag je het voorwerk van Waddle en Linekers triomf, een goede start en een goede afmaak, maar die goal in het midden zag er nog steeds stom uit.

Toen een brul.

'Kom op, Ierland!'

En meer geroep.

'Kom op, jongens!'

Niemand had kritiek op Mick McCarthy. Er moest nog een heleboel komen. Dit vonden we pas echt lekker, één goal achterstaan met een boel tijd om iets terug te doen. Dat voelde best ontspannen aan. We begonnen ons goed te vermaken. De herrie zwol aan en mensen gingen zweten. We schreeuwden naar de televisie.

'Goeie actie, Steve Staunton!'

De tweede helft was minder zorgeloos. We kwamen in tijdnood. De gelijkmaker kwam maar niet in zicht. Paul McGrath gaf een poeier. De bal scheerde over de lat, net over. De kroeg kreunde. Het werd tijd om in te grijpen.

'Ik ga naar de plee,' zei ik.

Hier waren we jaren geleden achter gekomen. Als een van ons ging plassen, werd er gescoord. Niet elke keer, maar je schrok ervan hoe vaak het gebeurde. Er zat een risico aan: soms viel de goal aan de verkeerde kant. Ik hoefde niet naar de wc. Ik was er de enige.

Het was er aangenaam, koel. De kreten van buiten de ruimte klonken minder wanhopig. Plotseling voelde ik me erg alleen. Maar toch bleef ik. Ik knoopte mijn gulp los.

'Ah jongens, godsallejezus. Kom op, nou!'

Ik stond met mijn voorhoofd tegen de tegels gedrukt en probeerde me het tweede deel van het 'wees gegroet, Maria' te herinneren toen het gebeurde: de deur van de heren werd opengedrukt door een aanzwellend menselijk kabaal.

Of we hadden gescoord, of Lineker was tegen een doelpaal gerend. Mijn eenzame wacht was voorbij. Mijn handen heb ik niet gewassen.

Ik holde terug en kwam terecht in een zee van rondspringende, dansende mensen. Ze stonden op de tafels, lagen onder tafels, alle remmen los. Het leek wel alsof ik door de verkeerde deur naar binnen was gelopen. Zoenen, knuffelen, hossen, er waren mannen die nog net geen seks hadden samen, pal voor hun vrouw of vriendin. Ik wist mijn vrienden te bereiken. Ze gingen in de rij staan om me te omarmen. Ik had mijn steentje bijgedragen.

'Mooie goal.'

'Bedankt.'

Ik zag de herhaling. Een prachtdoelpunt, een heerlijk doelpunt. Kevin Sheedy, de man met het kapsel van een moederskindje. En het eerste blijvende beeld van deze Wereldcup: Packie Bonner die zijn tanden op elkaar zet.

'Oké, Kevin Sheedy.'

'Nog eentje erbij, jongens!'

Van de verdere wedstrijd herinner ik me niet veel. Ik heb staan zingen, sissen, lachen en kreunen, maar ik weet niet meer waarom. Na de goal van Sheedy werd het publiek niet meer echt rustig. Het commentaar kon niemand nog wat schelen. Met onze herrie schermden we het Ierse doel af. We waren erbij. Ineens wemelde het van de vlaggen in het café.

'Haal goddomme die vlag voor dat beeld weg!'

Toen het eindsignaal, en de gekte in de kroeg nam toe. Het dak bleef er nog net op, maar de fundering is zonder meer beschadigd. We sprongen, doken, gleden en dansten de tango. Ik omhelsde mensen die ik in geen jaren had gezien. Ik omhelsde mensen waar ik de pest aan had. Ik omhelsde de tafel.

'DE IEREN, DAAR KUN JE NIET VAN WINNEN,

DE IEREN, DAAR KUN JE NIET VAN WINNEN.'

Toen ik weer een beetje lucht kreeg, merkte ik dat ik dronken was.

'LA LA LA LA,

LA LA LA LA.'

Ik liep op zondagmorgen door Donaghmede in Noord-Dublin, voor onze tweede wedstrijd, tegen Egypte. Uit slaapkamerramen hing de driekleur. Boven de poort, bij de voordeur, een teddybeer op een fietsje, met het shirtje van Ierland. Ik was op weg naar het huis van Paul. We gingen naar het vliegveld om zijn broer Eugene op te halen, die even op en neer vloog vanuit Cork omdat hij de wedstrijd live wilde zien in een kroeg in Dublin. Iedereen moest nu wel een kaartje hebben. Kennelijk was het café bij de wedstrijd tegen Engeland gevaarlijk vol geweest. Op weg naar het vliegveld zat Ian, Pauls zoontje van drie jaar, achter in de auto en zong de hele tijd 'Give it a lash, Jack'. Het hele land zat te wachten op de wedstrijd.

Het werd een verschrikking. Ik wil er liever niet over schrijven. Nul-nul, de slechtste officiële wedstrijd die de Ierse Republiek in tijden had gespeeld. Bij de rust was het nog niet zo beroerd. Het kon niet lang duren voor we gingen scoren. Maar in de tweede helft schoot de frustratie goed wortel, en bij het eindsignaal voelde ik me murw gebeukt en moedeloos. Geen gejuich, geen vlaggen, geen gezang.

'Leuk spelletje, me kloten.'

Tuurlijk, Egypte had ook tegen de Hollanders nul-nul gelijkgespeeld. Misschien was het nog niet eens zo'n ellendige uitslag. Maar het bleef een afknapper, heel irritant. Voor deze wedstrijd zaten we zo goed als zeker in de kwartfinale van de Wereldcup, en nu stonden we op het punt om eruit te worden gemikt. De heerlijke sfeer en geestdrift van de afgelopen week, de opwinding die zich twee jaar lang had opgebouwd, waren helemaal weg. Het was vreselijk – wat een pokkewedstrijd.

Toen heeft Eamon Dunphy iets gezegd. Dunphy en John Giles waren commentator bij de RTE. Ze lieten de concurrentie bij de BBC en ITV alle hoeken van de kamer zien. Ze waren vlijmscherp, vaak erg grappig ook. Giles doordacht, Dunphy bevlogen. Wat Dunphy zei na de match tegen Egypte heb ik niet gezien of gehoord. Ik heb het een dag later gelezen en erover horen praten, en de dagen daarna ook.

Dunphy had gezegd dat hij zich schaamde om een Ier te zijn en had zijn pen door de tv-studio gesmeten. Hij had dat helemaal niet gezegd. Hij had in werkelijkheid gezegd dat als Ierland de hele tijd zo bleef spelen, dat hij zich dán zou schamen om een Ier te zijn. Hij had zijn pen alleen maar op de presentatietafel gegooid, eigenlijk was het niet eens echt gooien...

Wat er echt was gebeurd, daar ben ik nooit achter gekomen.

Het hing er maar van af met wie je praatte, het hing ervan af of ze Dunphy zagen zitten of niet. Dunphy ging naar Palermo. Jack Charlton weigerde elk interview zolang Dunphy in dezelfde ruimte was.

Ik las dat Dunphy tegen de Engelse journalisten had gezegd dat ze erbij moesten zijn, dat er iets dergelijks zou gaan gebeuren.

Dunphy's aanwezigheid werd gesteund door een paar andere Ierse journalisten. Er was een vechtpartij. Ook nu weer kwam ik er niet achter wat er exact in Palermo was gebeurd. Ik was niet zo dol op Dunphy, maar hij had het recht om bij de persconferentie te zijn. Charlton had altijd gezegd dat de beste manier van voetballen was, ervoor te zorgen dat de andere ploeg niet kon voetballen, en dat had Egypte nou precies met ons gedaan en nu leek het alsof hij stond te zeuren.

Het was simpel en heel akelig: óf je was pro-Charlton en anti-Dunphy, of andersom. Een neutrale houding werd niet geaccepteerd, geen interesse in voetbal gold niet als excuus. Het voetballen zelf deed er niet toe, je was voor de een of de ander, man tegen man. Charlton was mijn man. Ik vond hem goed, ik was gek op zijn ploeg – McGrath, Houghton, Bonner –, allemaal waren ze steengoed. Op zondag tegen Egypte waren ze bagger geweest, maar nou én? Ze hadden vaak genoeg geweldig gespeeld en dat gingen ze weer doen, wie weet op donderdag tegen Nederland. Als ze donderdag zouden verliezen, dan was alles naar de klote. Je had altijd een ploegje kleine etterstralen die zaten te wachten tot er iets verkeerd ging.

'Het zijn geen van allen echte Ieren, dat is het punt.'

'Hij doet het alleen maar voor de poen.'

'Elke bosneger met een Ierse oudtante mag in die ploeg spelen.'

Wat mij betreft sprak Dunphy voor die kleine etterstralen. Dat was niet eerlijk tegenover Dunphy, maar jammer dan. Mijn hele leven had ik gesmacht om Ierland in het wereldkampioenschap te zien spelen. Wat mij betreft had Jack Charlton ervoor gezorgd dat ze daar stonden. Hij had klasse, en humor. Hij was eerlijk. Dunphy had de pest aan Charlton. Dunphy had de pest aan heel wat dingen.

'Hij heeft gelijk.'

'Hij is gewoon een lul.'

Donderdagavond, weer in de Bayside Inn.

We moesten winnen, we moesten gelijkspelen, als we twee-een verloren konden we er nog doorheen zwijnen. Dan moest Engeland wel winnen van Egypte, deden ze ook eens wat leuks voor ons.

'Hebben die lamzakken ooit wat leuks voor ons gedaan, dan?'

De sfeer was geweldig. Iedereen was vastbesloten om brullend ten onder te gaan. Eugene was terug naar Cork en Paul was naar Palermo gereisd, dus bleven alleen ikzelf en Frank over. Dat gaf niets. Het was alsof je op een volgepakte tribune stond, de enige plek waar ik me ooit thuis heb gevoeld bij volslagen vreemden. Een volgepakte tribune waar een tapkast dwars doorheen liep.

Ik was wel ongerust geweest, maar nu niet meer. De wedstrijd was nog niet begonnen maar de uitslag deed er niet meer zo erg toe. De herinnering lag toch al vast.

Weer stonden we bij rust één-nul achter. Gullit had een mooi doelpunt gemaakt, een één-tweetje en een prachtig schot. Weer was de Ierse verdediging te grazen genomen.

'Kom op, Ierland!'

De rest van de wedstrijd heb ik alleen maar aanmoedigingen naar het tv-beeld staan brullen, om onze ploeg naar de gelijkmaker te duwen, te slepen. Ik keek niet gewoon naar de wedstrijd, ik stond nu zelf aan de zijlijn – ik speelde verdomme gewoon mee. Ik krijste en oehde en klapte. Ik bulkte van instemming toen in de tweede helft Ronnie Whelan mocht invallen. Ik applaudisseerde voor Kevin Sheedy die van het veld kwam. Ik hielp echt mee. Dat dacht ik werkelijk op dat moment, en ik was vast niet de enige.

Dit keer ging ik niet naar de plee. Ik moest niet. In plaats daarvan zette Packie Bonner zijn tanden eens goed op elkaar. Hij gaf de bal een allejezusharde knal het veld op. Van Dinges gaf een slechte pass terug naar de keeper, Van Breukelen. Die verknoeide de bal volledig (net goed, moet hij maar niet zo op Howard Jones lijken) en Niall Quinn was erbij als, eh, Flynn. Snel, klungelig en dodelijk. Alles wat een goeie gelijkmaker moet zijn. Ik zag het nog een keer voorbijkomen. Een sliding over de grond, nog beter.

Ik zag ineens een oud-leerling van de school waar ik lesgaf. We omarmden elkaar terwijl we hoog opsprongen. Ik had hem jaren niet gezien.

'Fantastisch.'

'Ja, fantastisch.'

We lieten los, we moesten nog andere mannen vastgrijpen.

'EAMON DUNPHY

IS EEN EIKEL,

EEN GROTE EIKEL.'

We wilden weer naar de wedstrijd kijken, maar die was tot stilstand gekomen. Ze schopten de bal nog wel rond maar dat was alles. Ze klooiden maar wat aan. De spelers hadden gehoord dat Engeland ging winnen van Egypte. Mick McCarthy en Gullit hadden overlegd en besloten om het rustig aan te doen. Het was afgelopen. We waren door de voorronden, bij de laatste zestien.

'EAMON DUNPHY

IS EEN EIKEL,

EEN GROTE EIKEL.'

Meer vlaggen dan ooit in een kroeg te zien waren geweest, lawaai dat de ramen deed beslaan als het ertegenaan kaatste, een vrouw met groengeverfd haar, een kerel die op een tafeltje stond en zijn maten voorging in 'Ghost Riders in the Sky'. Dat is wat ik me herinner van die avond, en een gevoel van totaal, volkomen geluk.

Een man van middelbare leeftijd galmde het tweemaal.

'Ik hou van Ierland!'

En ik ook. Ik was blij dat ik een Ier was, ik was er trots op. Zo had ik me nog nooit gevoeld. Vroeger had ik me ervoor geschaamd. Maar dit keer niet. Ik was een Ier en dat was godvergeten geweldig. Hoe ik ben thuisgekomen, weet ik niet meer.

De fans maakten zich op voor Genua. Er deden allerlei verhalen de ronde: trouwerijen en begrafenissen die tot na de wedstrijd werden uitgesteld, telefoontjes naar huis met smeekbeden om nog wat geld, tweede hypotheken, moeder-de-vrouw die sandwiches met ham in aluminiumfolie en bekers soep per post naar Italië verzond. Mannen en vrouwen die op maandagochtend op hun werk moesten verschijnen, liepen nu naar Genua. Ierland speelde maandag tegen Roemenië. De echte Wereldcup, de laatste zestien.

Het werd de beste maandag van mijn leven.

Het land ging dicht en perste zich samen in de kroeg. Ik ging weer naar de Bayside Inn. Nu waren er evenveel vrouwen als mannen. De kledij werd steeds bonter. Ierland begon op Brazilië te lijken. Geverfd haar, beschilderde gezichten, vlaggen, vlaggen, vlaggen. We keken naar de Roemeense namen op het scherm.

'Zitten daar ook weeskindjes bij?'

'Dat is niet aardig.'

Het stadion lag er schitterend bij. Ierland speelde thuis altijd in Lansdowne Road, een rugbystadion, een afgang vol hobbels, of in Dalymount, waar ze aan het begin van elk seizoen het gras op het dak van de tribune moesten maaien. Dit was wel even iets anders: zuilen en staalkabels, wonderschoon groen gras.

We hadden een tafeltje vlak bij de tv. We hadden genoeg te drinken om ons door de eerste helft te slepen. We waren er helemaal klaar voor.

'Daar gaat-ie.'

Roemenië zat ons de eerste twintig minuten zwaar op de huid, maar toch zou het zeker gelijkspel worden. Dat gevoel had ik nou eenmaal. Sheedy was er twee keer dichtbij, Quinn, Cascarino, Hagi bij hen – Bonner had twee of drie goeie reddingen. Ik weet nog één ding over de extra tijd, dat we juichten toen David O'-Leary het veld op kwam. We hielden allemaal van David O'Leary, een geweldige voetballer en een aardige vent, de schakel tussen het oude en het nieuwe team, van onze leeftijd. We zaten te wachten tot de extra minuten voorbij waren. Er ging niets meer gebeuren. Het werd penalty's nemen, absoluut.

Het leek een eeuwigheid te duren voor het op gang kwam. De spelers zaten en stonden in de binnencirkel, en probeerden te kijken alsof ze niet doodsbang waren. Jack Charlton liep tussen hen in, met een glimlach. Ineens stond Packie tussen de palen. Hagi legde de bal neer.

'Die gaat scoren.'

Hij scoorde.

Net als Kevin Sheedy daarna, die ramde hem er zó in. De andere kant scoorde weer, en Ray Houghton maakte zijn doelpunt, in de rechterhoek. Zij scoorden nog een keer, en Andy Townsend ook. Zij scoorden nogmaals. Ik moet toegeven dat ik verbaasd was toen ik Tony Cascarino naar voren zag komen om onze vierde te nemen.

'Jezus, straks gaat-ie hem inkoppen.'

'Geef hem een kans, geef de man een kans.'

Hij bakte er niks van.

Nu stond ik op mijn tenen. Ik kon niet stil blijven zitten. Ik krabde in mijn nek, ik trok aan mijn haar. Packie Bonner dook naar links en stopte de laatste penalty van Roemenië. Hij dook naar links en blokkeerde de bal en stond vlug weer op en maakte een luchtsprong, armen omhoog, één been ietsje gebogen.

Ik hing ook in de lucht. Het was niet te geloven.

'Hij heeft 'm gestopt!'

Die grijns van Packie. Vanwaar ik stond kon ik zijn tanden tellen. Het was schitterend.

We móésten de laatste erin krijgen.

David O'Leary.

Niemand zei iets.

Hij legde de bal neer. Hij deed er uren over. De spanning. Ik moest nu gaan kreunen of brullen, anders knapte er iets. Hij stuurde de bal omhoog naar rechts en hij vloog in het net op een verrukkelijke manier. Het hele Ierse team rende naar hem toe. Hij ging rechtop staan, hief zijn armen en drukte ze allemaal tegen zich aan. Hij was onzichtbaar.

Ik moest huilen. Niet omdat we gewonnen hadden, maar om hoe die ploeg naar David O'Leary toe rende. David O'Leary stond hen daar op te wachten. Packie Bonner die zijn hand voor zijn ogen hield, bijna bang om te lachen. En hoe het jack van het trainingspak van de fysiotherapeut Mick Byrne flapperde toen hij op David O'Leary afrende. De aanblik van het Ierse publiek in Genua. De menigte hier in de kroeg. Omdat we Ier waren.

Mijn vrouw Belinda had de wedstrijd ergens in de stad gezien. Ze kwam met de taxi naar de Bayside en trof me daar dronken en in tranen aan.

Ik rende naar haar toe en sloeg mijn armen om haar heen. We gingen naar huis. Ik moest weer huilen toen ik de penalty's terugzag op het journaal. Ik probeerde het aan Belinda uit te leggen.

'Ik had alle buttons van Texaco...'

'Buttons van Texaco,' zei ze. Ze wilde me helpen.

'Nee, je begrijpt er niks van,' zei ik. 'Buttons van Texaco.'

Het was hopeloos. Ik was te dronken. Mijn tong deed het niet meer.

'Buttons van Texaco.'

Ze sloeg een arm om me heen.

'Ik snap het.'

We liepen naar O'Connell Street. Op elke claxon in de hele stad werd langdurig gedrukt. We gingen naar de winkel van Beshoff, namen een bak fish 'n chips, en gingen bij het raam zitten kijken. De fontein rond het standbeeld van Anna Livia stond vol. Mensen stonden in de rij om er ook in te klimmen en drijfnat te worden. Uit elke auto en uit elk busje dat langsreed hingen mensen, of ze zaten erop. Jongens stonden op de straat te wachten tot ze een auto te pakken kregen waaraan ze zich vastklampten. Elke boom en elk monument in de hele straat was bezet. Eén kerel zat in zijn eentje in een boom met alleen een onderbroek in de kleuren van de vlag aan. Hij leek de weg kwijt.

Van het eten en de gekte buiten werd ik iets nuchterder. Belinda zag het. Ze wist dat dit allemaal erg belangrijk voor me was.

'Hoe zat het nou met die buttons van Texaco?' vroeg ze.

'O, laat maar,' antwoordde ik.

Ik wist dat ik het nooit zou kunnen uitleggen, van die buttons en 1970 en van mij toen ik twaalf was en mij nu ik tweeëndertig was. Ik zou weer zijn gaan huilen. We keken weer naar de gekte buiten. De kabeljauw was lekker maar de patat was verrot.

(Een dag later zag ik op het journaal van de RTE een interview met de vrouw van David O'Leary – volgens mij heet ze Joy. Ze was tijdens de penalty's de tuin in gelopen. Hun zoon was naar buiten gerend om het haar te vertellen. Ze wilde hem niet geloven. En toen geloofde ze het wel. Ik was jaloers op haar en David en hun zoon. Zoiets zou mij nooit overkomen.

'Mammie, mammie, papa heeft net zijn nieuwe roman klaar!'

'Doe niet zo gek, lieverd.'

'Echt waar, echt waar.'

'O jezus, écht?')

Daarna Italië, de kwartfinale in Rome. De ploeg uit de republiek werd ontvangen door de paus. Ik ben atheïst en ik vind de huidige paus een beetje een lul – ik mag die man helemaal niet – maar ik kon de brok in mijn keel niet ontkennen, toen de jongens in hun trainingspak in de rij stonden om hem te ontmoeten. Ze waren allemaal katholiek, aldus de verslaggever. Wat goed, dacht ik, en dat was niet eens grappig bedoeld. Vreemd was dat.

Ik dacht echt niet dat we gingen winnen. De Italianen waren fantastisch. Schillaci, Baggio, Maldini, en wij hadden dan Mick McCarthy die ze moest tegenhouden. Er hing een bloedbad in de lucht. Ik hoopte op een milde nederlaag, maar dat zei ik tegen niemand. Het was zaterdagavond. Dezelfde kroeg, dezelfde vrienden, en Belinda. De wedstrijd begon. Ik zat met mijn linkerhand in mijn haar en bleef er maar aan trekken. McGrath gaf een geweldige pass aan Niall Quinn en Zenga moest ver springen en zich erg lang maken om de kopbal te stoppen. Ik schreeuwde en klapte. Ik kon me een beetje ontspannen. We speelden goed. Schillaci kwam dicht bij een doelpunt. Maar we speelden goed. Ze gingen ons niet wegvagen.

De eerste keer zag hun doelpunt er fraai uit. Ik voelde een schok in mijn maag toen ik zag hoe Schillaci de bal rechts in het net mikte. McGrath kreeg nog bijna zijn voet ervoor maar de bal vloog door.

'Mooie goal.'

'Juh.'

We zagen hem nog een keer. Het schot van Donadoni, hoe hard het was, de redding van Packie, de bal knalt van zijn vuisten af, Packie valt naar links, Schillaci, met de zijkant van zijn schoen, raak.

'Prachtige goal.'

Nog een keer. Schillaci rent al voor Donadoni schiet, om op de goede plek te staan als de keeper hem loslaat, het schot van Donadoni, de redding, Schillaci.

Het deed pijn.

'Kom op, Ierland!'

Ik was blij dat Schillaci hem had gemaakt.

'Kom op nou, Ierland!'

Ze probeerden het. Ze zaten de Italianen goed dwars. Ze achtervolgden hen en beten in hun kont. Ze renden en gleden achter hen aan en liepen mooi in de weg. Ze gaven ons nooit het gevoel dat het allemaal al voorbij was. Ze vielen aan en holden terug en vielen dan weer aan. De tweede helft. Schillaci raakte de lat. Schillaci scoorde maar stond buitenspel. Maar de Ieren bleven volhouden, bleven rennen en buffelen. Ze waren fantastisch en ik hield van ze.

Toen was het voorbij.

We zeiden niets.

De fans in Rome stonden nog steeds met hun vlaggen te zwaaien, zongen nog steeds. Mensen in de kroeg deden dat ook. Ik zei tegen Belinda hoe lief ik haar vond.

Het was voorbij.

Het was een van de toppunten in mijn leven, een tijd dat het heerlijk voelde om uit Dublin te komen en om Iers te zijn. Drie jaar later ben ik er nog vol van. De vreugde en de lol en de trots. Volwassenen die zich als kinderen gedragen. Packie die knarst met zijn tanden. Kunnen huilen waar anderen bij zijn. Dronken worden op klaarlichte dag. De T-shirts, overal kleur. Mick McCarthy's lange inworp. De spelers. Paul McGrath. De opwinding en de gekte en de liefde. Dat zit allemaal nog in me, en nu begin ik weer te huilen.

Ze kwamen de volgende dag thuis. Nelson Mandela was ook in de stad, om zijn ereburgerschap in ontvangst te nemen.

'OOH, AH, PAUL MCGRATH'S PA.'

'OOH, AH, PAUL MCGRATH'S PA.'

De stad puilde uit. Een half miljoen mensen stond te wachten. We vonden een plekje op O'Connell Bridge. O'Connell Street was verstikt door de mensen, elke boom, elke paal, elk kozijn. Er ging een prachtig nieuwtje als een schicht door de massa: Engeland was aan het verliezen van Kameroen.

'EÉN ROGER MILLA.'

'D'R IS MAAR ÉÉN ROGER MILLA.'

We stonden te wachten. We zagen de bussen uit Frederick Street komen, open van boven, en O'Connell Street in rijden. Vanwaar wij stonden leek het alsof ze over het publiek heen werden gedragen. De straat was verdwenen. Langzaam, heel langzaam kwamen de bussen onze kant op. Ik zag Jack Charlton, Chris Morris, David Kelly, Frank Stapleton. Toen reden ze voorbij. Ik hief mijn handen boven mijn hoofd en klapte.

'Jongens, bedankt.'

Toen gingen we naar huis.

De sleutel van de kerk

MARK KURLANSKY

Mark Kurlansky is Amerikaans schrijver en illu-
strator. Hij schreef tien boeken, waaronder *De
kabeljauw, biografie van de vis die de wereld veranderde*; *Zout, een wereldgeschiedenis*; *1968. Het jaar
waarin alles anders werd.* Voor *De kabeljauw* ontving hij de James Beard Award for Excellence
in Food Writing. Zijn nieuwste publicatie is een
roman getiteld *Boogaloo on Second Avenue.*

Ik voel me klein en alleen, en ik huiver in de donkere stenen ruimte. Ik heb een ijzeren sleutel vast, die groter is dan mijn hand. Boven me lijkt de boog van het plafond kilometers hoog. De monniken komen binnen in rijen van twee. Hun lyrische tenortonen zweven bij hen weg en blijven stuk voor stuk een ondeelbaar klein moment in de lucht wiegen. Nooit is er een samenklank, en toch hangt er zo'n ronde, zachte zangnoot in de lucht terwijl de volgende er al onderdoor glijdt.

Deze nooit onderbroken reeks van volmaakte tonen stijgt op uit mannen in het zwart die overeind komen, blijven staan, diep vooroverbuigen, weer overeind komen en gaan zitten. Dan schuifelen ze paarsgewijs weer naar buiten, in volslagen stilte. Ik ben veel te ontroerd om iets te kunnen zeggen, maar er is toch niemand meer over om voor te klappen of om zelfs maar te bedanken. Ook al ben ik het enige publiek, ik weet dat deze uitvoering niet voor mij bestemd was.

Ik was hierheen gestuurd op basis van een paradox – een oxymoron geschraagd door een misverstand. Een tijdschrift had me naar Europa laten reizen, op zoek naar 'een nieuw veelbelovend gregoriaans koor'. Maar mij zou de reis vrijwel het omgekeerde brengen – een tocht naar het hart van de pure muziek. Als eenvoud een sleutel vormt tot ware kunst, dan blijven deze zang-partijen, die niet voor mensenoren bestemd zijn, tot de meest sublieme muzikale scheppingen behoren. Dit was geen materiaal voor toptien-cd's, en de benedictijnen, die zich geheel hebben gewijd aan het ritueel en de oeroude tradities van de kerk, zouden niet zo snel commercieel succes gaan najagen.

En toch hadden ze al één hit gescoord. In 1992 zette EMI twee al bestaande opnamen van het benedictijnerklooster Santo Domingo de Silos vlak bij Burgos in Spanje op cd (één opname uit 1973 en één die tien jaar later was vastgelegd) en verkocht er dankzij het wonder van de marketing wereldwijd meer dan zes miljoen exemplaren van.

Als schrijver besef ik maar al te goed dat het fijn is als je werk goed verkoopt, maar ook dat omzetcijfers een wankele inspiratiebron vormen. Kloosterorden die al twee millennia lang gezangen uitvoeren, zullen niet per se op dit moment hun beste werk produceren. Op dit punt is de katholieke kerk dubbelzinnig. De kloosterorden worden geacht financieel zelfredzaam te zijn. Ze maken wijn, honing, kaas en alles wat ze maar kunnen verkopen om het klooster in stand te houden. Dus als hun gebeden in muziekvorm het grote publiek aanspreken, maken ze om de zoveel jaar wat opnamen voor een kleine Spaanse platenmaatschappij.

Zoals voor de meeste niet-katholieken die van klassieke muziek houden, was het voor mij een schok om te ontdekken dat je in katholieke kerken geen fantastische muziek meer hoort. Volgens dezelfde logica waardoor de oude mis in het Latijn werd vervangen door gebeden in een moderne taal, ontdaan van elk ritueel of mysterie, hebben de kerken hun muzikale meesterwerken vervangen door goedbedoelde deuntjes die de hedendaagse gelovige aan moeten spreken. Maar in een paar verafgelegen kloosters in Spanje en Frankrijk negeren de monniken en nonnen de moderne tijd, en daar zingen ze hun dagelijkse gebeden in het Latijn op melodieën die teruggaan tot de vroegste wortels van het christendom.

De gezangen van de katholieke kerk in de vroege middeleeuwen worden gregoriaans genoemd, wat wellicht op een vergissing berust. Ze kregen hun naam door Gregorius I, paus van 590 tot 604, omdat aan hem werd toegeschreven dat hij de kerkelijke rituelen in een serie boeken had laten vastleggen. Onjuist, zeggen de meeste hedendaagse historici, maar ze komen te laat. Deze muziek staat nu wijd en zijd bekend als gregoriaanse gezangen.

De oorsprong van de katholieke eenstemmige zang kan worden gevonden in de joodse traditie, waarbij de heilige teksten van de Thora zingend werden gereciteerd, en dat worden ze nu nog steeds. Wanneer belangrijke woorden in de Hebreeuwse tekst moeten worden benadrukt, stijgt de toonhoogte. De christenen namen dit gebruik over bij hun teksten in het Latijn. Tonische accenten, stijgende toonhoogten, benadrukten de belangrijke lettergrepen. De muziek was niet bedoeld als begeleiding maar moest helpen de tekst tot uitdrukking te brengen, en wel zoals het Kerklatijn in de zesde eeuw of eerder werd uitgesproken. Net als in de joodse Thora werd de melodie niet genoteerd, maar werd de toonontwikkeling aangeduid met merktekens boven of onder de tekst met zijn Latijnse gebeden. Net als in de Hebreeuwse Thora die vandaag de dag nog wordt gebruikt, wordt de relatieve toonhoogte aangegeven – hoger of lager – maar geen specifieke melodie. De melodie van zowel joodse als christelijke gezangen wordt door de traditie doorgegeven – uit het hoofd geleerd door de ene generatie na de andere.

Maar in de negentiende eeuw begonnen de benedictijnen – een kloosterorde die in 529 werd gesticht om het ritueel en de traditie te beschermen – de eenstemmige gezangen toch te noteren, omdat ze bezorgd waren over de toenemende neiging tot samenklank. Sindsdien heerst er brede overeenstemming over de klank en het ritme van een compleet repertoire dat een kalenderjaar aan religieuze muziek behelst. Tegenwoordig is het hele concept van eenstemmige zang veel vertrouwder voor een praktiserende jood dan voor een kerkgaande katholiek.

De geschreven notatie ziet eruit als de sneeuwsporen van een schuw diertje. De eenvormige stippen, op gelijke afstand, stijgen en dalen met kleine stapjes. Geen wonder dat die muziek nooit werd opgeschreven. Maar weinig mensen kunnen deze bladmuziek zien en zich de pracht van de klanken erbij voorstellen.

Voor de monniken is hun muziek een gebed en geen concert. Ze zeggen dat het zingen hen helpt om dichter bij God te komen. In acht getijden per dag – de missen die werden gereguleerd in de canon van de heilige Benedictus rond het jaar 520 – kent elke dag van het jaar zijn gezangen die elk jaar worden herhaald.

Op zoek naar deze muziek, reed ik door een nauwe bergpas in de Pyreneeën. Ik begon op de steile hellingen in Frans Baskenland, waar de schapen grazen op fluweelzachte, felgroene bergweiden, toen klom ik hoger de bergpas in en volgde precies hetzelfde pad over de Pyreneeën als de pelgrims op weg naar Santiago de Compostela in de middeleeuwen. Voorbij de bergtop, waar de sneeuw door de wolken wordt verduisterd en rotspunten uitsteken in de mist, loopt de kronkelweg uit op ruiger en droger terrein in Spanje, waar de zon schijnt. De rit door de pas kent zoveel dramatische wisselingen in het uitzicht dat hij wel uren lijkt te duren. In werkelijkheid heb je hem na twintig minuten achter de rug. Ik weet nog dat ik me afvroeg, de eerste keer dat ik de tocht maakte, of ik me vergist had en terug moest gaan, voordat een rampzalige verrassing na de volgende bocht me plots overviel. Maar ten tijde van mijn pelgrimstocht naar de eenstemmige zang was ik deze pas al vele malen gepasseerd, want het is een van mijn favoriete plekken op deze aardbol. En ik was voorbereid op elke bocht, waterval, wolkenbepakte richel en steile afgrond, zoals sommige mensen telkens weer naar *Casablanca* kijken en uit hun hoofd de dialoog opzeggen, net iets eerder dan de filmacteurs.

Toevallig kwam de route van mijn pelgrimstocht overeen met de pelgrimsroute naar Santiago, een van de belangrijkste routes uit de middeleeuwen, die door duizenden mensen vanuit heel Europa is afgelegd. Hij loopt verder naar Pamplona, de hoofdstad van Navarra, waar tegenwoordig elk jaar in juli Engelstalige bezoekers door stieren worden platgewalst omdat ze Hemingway wel hebben gelezen, maar niet begrepen.

Ten oosten van Pamplona vonden de pelgrims wat beschutting achter de verticale zuilen van rotsformaties die in een rij langs de bergrand stonden, als een door de natuur gevormd fort. Op een paar kilometer afstand van de grens met Aragon en de hoogste toppen van de Pyreneeën zit er nauwelijks zichtbaar een spleet in de rotsen, een bergpas naar het benedictijnerklooster van San Salvador de Leyre.

De zandkleurige steen van het klooster is een echo van de steenzuilen in de natuur, hoog op de bergen. Bij de ingang van dit immense, nagenoeg raamloze, stenen bouwwerk, met zijn diverse vleugels die tussen de achtste en zeventiende eeuw werden aangebouwd, word ik begroet door broeder Ramón, een kleine man in een zwart gewaad, die me een hand geeft en zegt: 'U bent de man uit New York die van gregoriaanse gezangen houdt.' Dan verandert zijn uitdrukking en begint hij me de les te lezen omdat ik niet warm genoeg gekleed ben voor dit weer, en beveelt hij me dikkere kleren uit mijn auto te gaan halen. Onderweg naar mijn kamer staan we nog even stil bij een laat-middeleeuwse kapel, waar hij neerknielt om te bidden en ik respectvol wacht tot hij klaar is. Ik heb mezelf blootgegeven. Ramón ziet dat ik geen katholiek ben, omdat ik mijn knieën niet buig. Maar het lijkt hem niet te deren.

Er zijn acht gastenverblijven. Spaanse kloosters hebben vaak zulke kamers, omdat het bij de Spanjaarden al zeer lang gebruik is om zich af en toe een weekend in een klooster terug te trekken. Mijn kamer is karig maar smaakvol ingericht. Geen opzichtige crucifix – Christus hangt niet boven mijn bed van pijn te kronkelen aan een met bloed besmeurd kruis. Dit zijn de benedictijnen, de wetenschappers van de middeleeuwen. De enige decoratie op de kale witte muren zijn twee reproducties van serene middeleeuwse gezichten. De kamer heeft een gewreven houten vloer en is voorzien van een eenpersoonsbed, twee stoelen, en een grote, gerieflijke schrijftafel van donker eiken.

De telefoon, een modern apparaat met druktoetsen en modulaire pluggen, kan alleen intern bellen. De deuren gaan elke avond om halftien op slot en 'Niemand kan er meer in en niemand kan er meer uit,' aldus broeder Ramón.

Opgesloten zitten in een middeleeuwse katholieke kerk, op een bergtop in een van alles verlaten uithoek van Spanje, is voor een jood geen aangename gewaarwording.

En toch ervaar ik mijn kamer met zijn kale muren, uitzicht over het dal, brede secretaire en niet-werkende telefoon als de volmaaktste schrijfplek die ik ooit heb weten te vinden.

Ramón geeft me een sleutel van de enorme kerk uit de achttiende eeuw, die grenst aan de woonverblijven. Het onverhoedse bezit van een sleutel van een kloeke middeleeuwse kerk slaat me bijkans met stomheid. Ik kijk naar de zwarte ijzeren sleutel, die te groot is om hem in een gesloten vuist te kunnen wegstoppen. Hij lijkt op de sleutels die sommige sefardische families hebben bewaard van hun huis in Spanje, uit de tijd dat ze werden verdreven, na 1492. Plotseling is alles weer bij het oude. Ze hebben de sleutel terugbezorgd bij een jood. Misschien probeer ik er iets te veel in te zien.

Die kerk, daar kan ik ook later naartoe.

Ik herinner Ramón eraan dat ik tijdens mijn verblijf graag wil praten met de *maestro de coro*, de koorleider. Ramón gaf me een soort wie-weetgrimas.

De maestro is tegelijk muzikaal leider, dirigent en vaak ook de belangrijkste zanger. In dit klooster is de koorleider tevens de abt, die de leiding over het klooster heeft. Dit is ongebruikelijk. Hij is drie jaar geleden naar Leyre gekomen vanuit Silos, dat beroemd is om zijn gregoriaanse hits, en waar hij ook koorleider was geweest. Is hij hier gekomen om met het ensemble van Leyre hetzelfde te doen? Worden zij de volgende hitformatie met hun benedictijnse eenstemmige zang? Hij is absoluut de man met wie ik moet praten.

Ik zit een paar minuten te schrijven aan mijn heerlijke ruime schrijftafel van donker Baskisch eiken, en laat mijn blik starend over de bergen van Navarra dwalen. Dan pak ik mijn sleutel op, te groot voor een jaszak – ik bedenk ineens dat de monniken in hun zwarte pijen waarschijnlijk geen zakken hebben. Misschien hebben ze zelfs wel de gelofte afgelegd die hun het gebruik van zakken ontzegt. Daarom maakt het hen niets uit hoe groot de sleutels zijn.

De clausura, de vleugel die van de buitenwereld is afgesloten, waar niemand is behalve de monniken en ik, werd gebouwd in de zeventiende eeuw. Dit is het modernste gedeelte van het klooster, er zijn ramen en er is licht. Hoewel ik niemand ooit zie schoonmaken, ziet het er altijd smetteloos uit.

De enorme sleutel past in een enorm gat in een enorme houten deur, die met het voorgeschreven geknars opengaat. Binnen is het donker en koud. Hier moeten spoken zitten – verdroogde krijgers uit Navarra in hun verstofte wapenrusting, de heilige Benedictus die gebogen over een manuscript een negende officie overdenkt, terwijl zijn kaalgeschoren hoofd met spinnenwebben aan zijn bureau verbonden zit. Maar zodra mijn ogen gewend raken aan de paar lichtpunten in de gigantische, twaalfhonderd jaar oude ruimte, merk ik dat ook de kerk, ondanks de vele koude, donkere hoekjes, perfect schoon is. Zelfs op de stenen vloer ligt geen stof. Ik veeg er met mijn vingertoppen over om dit indrukwekkende feit te bevestigen. Mochten er dode ridders staan, dan hebben ze een fonkelend harnas, en op ontslapen heiligen zal ik geen spinnenwebben aantreffen.

De koornis en de kruisbeuken van de kerk, de bovenste gedeelten van het bouwwerk in kruisvorm waar de monniken bidden, zijn romaans van stijl – een reeks rondbogen en pilaren. Het ruime middenschip waar rijen stoelen staan maar waar nooit een congregatie zit, heeft een hoog gewelfd plafond. In deze kaalgesleten, ruw uitgehakte stenen is de complete geschiedenis van de middeleeuwse architectuur vervat. In het duister bevinden zich misschien geen spoken, maar zeker wel relieken en verborgen schatten. De heilige Benedictus kan ik niet vinden, maar aan één kant van het middenschip tref ik een grote houten schatkist aan met het opschrift dat de kist de resten bevat van een lange lijst koningen van Navarra – wel tien stuks. Hadden zij ook een sleutel van de kerk?

Navarra was een buitenbeentje in de historie van Baskenland – het enige Baskische koninkrijk. Van oudsher geloofden de Basken niet zo in het koningschap, maar in tegenspraak met hun eigen wetten werd Iñigo Iñiguez in 818 koning van Navarra. Hij was drieëndertig jaar aan de macht, totdat hij eindigde in de kist, net als de daaropvolgende Baskische koningen, allen stoere verdedigers van het christelijk geloof die Navarra in de strijd tegen de moslims tot een regionale grootmacht maakten.

Met mijn sleutel in de hand zet ik mijn speurtocht voort. Tot nu toe is niemand veel spraakzamer dan Iñigo. De geluidloze en snelle manier waarop de monniken zich voortspoeden lijkt haast gemotoriseerd, een indruk die wordt versterkt door het feit dat ik onder de wijde zwarte pijen geen benen of voeten zie bewegen. Wat mij betreft kunnen ze net zo goed op wieltjes staan. Ook lijken ze vanwege hun diepe, puntvormige kap geen gezicht te hebben. Om ze uit elkaar te kunnen houden, moet ik naar een monnik toe lopen en onder zijn kap turen.

Ik zoek naar de toegangsdeur, waardoor ik ben binnengekomen. Het zou fijn zijn om te weten waar die is. Ik wil gewoon weten waar de uitgang zit. Maar ik kan hem niet vinden.

Een oudere monnik met een wat vreemde giechel brengt me met handgebaren terug naar mijn kamer. Spreken doet hij niet.

Nu luiden de klokken, wat plotseling doet denken aan de scène met Quasimodo die zijn verstand kwijt is. Voor de buitenwereld galmen de kerkklokken voluit; binnen onze stenen cocon kun je ze zachtjes horen. Het is zonsondergang, tijd voor de vespers, het zevende officie van de dag.

Dit was het geniale van de middeleeuwse architectuur. De gelovige knielt in een donkere en koude ruimte, voelt zich nietig onder de eindeloze verhevenheid, een klein en aards wezen onder zware stenen pilaren die oprijzen als door de lucht gedragen. Het lijkt wel tovenarij hoe het kleinste geluidje door de akoestiek wordt gepakt, opgetild en vastgehouden. De eenvoudige tonen van de koorzang, met telkens weer een rust ertussen, zonder samenklank of ander hulpmiddel, klimmen in het steen omhoog – het geluid van de mens die met God praat.

Ik kan niemand zeggen hoezeer ik dit waardeer, dus sta ik op, het eenmanspubliek, en doe wat een publiek altijd doet na een geweldig concert: ik ga dineren.

Voor iemand voor wie het hele idee van dineren altijd erg belangrijk was, zijn de maaltijden in het klooster een pijnlijke ervaring. We eten in een langwerpige kamer aan lange tafels onder een koepelvormig wit plafond. Praten is niet toegestaan. Het eten is eenvoudig en gezond – vanavond soep, gevolgd door een omelet, rode wijn en een stukje chocola. Toen de Spanjaarden met hulp van Cortés het Azteekse geheim van chocolade maken hadden ontdekt, lieten ze de monniken dat geheim bewaren. Het eten wordt op een kar binnengereden en lege borden gaan op de kar mee terug, terwijl een monnik door een microfoon voordraagt uit boeken over de geschiedenis van de benedictijnen. Over chocola maken hoor ik niets. Er heerst een gejaagde sfeer en je krijgt echt het idee dat ze je bord weghalen als je niet opschiet met eten. Dan luidt er iemand een belletje, de lezer stopt midden in een zin, iedereen gaat voor zijn tafel staan terwijl ze een kort, prachtig danklied zingen. De hele maaltijd duurt vijftien minuten.

Aan het slot van de avond eindigt het laatste officie, de completen, met alle lichten in de kerk gedoofd. De stemmen klinken op, een psalm wordt met een bijzonder melodieus zingen vertolkt, zwevende stemmen die zachtjes in de zwarte ruimte wegsterven. Dit is iets wat verder gaat dan een uitvoering. Nu de laatste toon boven ons hoofd wegtrilt, duisternis en stilte. Dan luiden er ergens daarboven klokken, als van een afgelegen heuvel. Dong... dong... dong...

De klokken luiden door in een stil hoekje van mijn hersenen. Op de een of andere manier hebben de voortrollende stemmen me in een andere wereld gebracht.

Nu begrijp ik het. Ik ben in de ban van een betovering geraakt en ik kan in alle vrijheid naar buiten lopen, zonder dat iemand dit gaat verstoren door naar me toe te lopen en te zeggen: '¿Oye, hombre, qué tal?' We kunnen veilig vertrekken, allemaal in onze eigen, individuele trance.

Uit het venster in mijn kamer zie ik alleen maar het donker. Een paar flikkerlichtjes vanuit één piepklein dorpje ergens aan de horizon is het enige teken van overig menselijk leven.

De slaap wordt niet bevorderd door een wollen deken die door de lakens prikt als het spreekwoordelijke kemelsharen kleed. Ik krijg dromen van gedwongen opsluiting op een aangename plek waar mensen uit eigen vrije wil denken te verblijven, tot ze gaandeweg gaan beseffen dat ze in de val zitten. 's Middags mag je even naar buiten en vreemd genoeg komt ineens die voordeur weer in beeld. Maar als ik omhoogkijk naar het blauwe zwerk, realiseer ik me dat de hemel nep is. Dit is niet werkelijk de buitenlucht. Ik word nog steeds vastgehouden. Dan word ik gewekt door de klokken.

In scherpe tegenstelling tot de rest van Spanje hebben de monniken een obsessie wat de tijd betreft. De klokken klingelen en de monniken weten niet hoe snel ze zich naar de volgende bezigheid moeten spoeden. Er is altijd een volgende bezigheid. Acht officies en drie maaltijden per dag, met tussendoor de vaste werkzaamheden die stuk voor stuk worden aangekondigd door een koortsaanval van hardnekkig klokgelui. Niemand komt ooit te laat.

Al na enkele dagen raak ik ingesteld op het ritme van dit bestaan. Ik kijk uit naar de komende officies als een junk die op zijn shot wacht, om deze volgende keer nog net iets meer extase te beleven. Metten, lauden, priem, terts, sext, noon – ik ben erbij. En ik ga altijd onder hypnose weer weg.

Om halfzes 's ochtends ben ik wakker voor de metten. Ik loop op mijn tenen om niemand te storen. Maar iedereen is al uit bed en waart in stilte rond. Gestalten in het zwart met gepunte kappen glijden voorbij. Soms strek ik mijn nek uit als een nieuwsgierige vogel en maak ik oogcontact. Ik ben me ervan bewust dat we niet geacht worden te spreken, dus knik ik maar beleefd. Zelfs dit gaat te ver en ze ontwijken mijn blik.

Het is 25 januari, de dag van de bekering van Paulus tot het christendom. Eigenlijk heette hij Saulus – een fijne feestdag om als jood voor wakker te worden. Ik kijk naar mijn sleutel en vraag me af of dit verhaal voor mij een waarschuwing bevat. Bij de metten stapt de koorleider naar voren en dirigeert de uit vijf mannen bestaande *schola*, het groepje met de beste stemmen. Het is een veeleisend werkje dat eenmaal per jaar op deze dag wordt gezongen. De muziek suggereert een zachte, beheerste passie – nooit wordt hij opdringerig. Zware stemmen vibreren mild onder de rusten die de tenortonen openlaten.

Er zijn dertig monniken in Leyre, maar slechts tien zijn muzikaal genoeg om te mogen zingen. Af en toe houden deze tien een repetitie van twintig minuten voor een speciaal muziekstuk zoals die in de metten van vandaag. Al dit theater is een beetje raar, want ik ben het enige publiek en word volslagen genegeerd. Op de geëigende plaatsen zijn microfoons neergezet om het geluid in balans te krijgen. Voor het dramatische effect wordt vaak ook het licht aangepast – op bepaalde momenten zet men een spot feller of zachter – en sommigen verkleden zich zelfs voor verschillende missen – wit met purper, wit met groen. De verschillende kleuren drukken verschillende emoties uit rond de bijbehorende dagen op de kalender. Deze oeroude, poreuze stenen hebben dertien eeuwen lang deze vertoningen in zich opgenomen.

Om acht uur is er ontbijt en dankzij iemands grote genade leest niemand tijdens het ontbijt door een microfoon. Er zitten gewoon ongeveer vijfentwintig mannen in het zwart slokjes koffie te drinken uit een kom. Het enige wat je hoort is af en toe een slurpje of een kraakje als een stuk brood wordt gebroken. De een na de ander staat op en schuifelt door een boogpoort naar een andere ruimte, waar ik niet welkom ben. Als ik alleen ben, loop ik terug naar mijn kamer. Onderweg kom ik langs de binnenplaats waar zich bij een middeleeuwse waterput een aantal kleine vogeltjes heeft verzameld. Ook zij zingen zonder publiek. Na twee diensten en het ontbijt is het eindelijk licht, en een wattige mist geeft langzaam de rotszuil langs de hoge bergranden boven het klooster bloot.

Eindelijk, na langdurige onderhandelingen, die ik fluisterend met Ramón voer op momenten dat dit me wel acceptabel lijkt, loop ik door de witte gang met zijn wijde bogen en zijn niet zo sublieme schilderijen uit de renaissance, en hoor ik 'pssst!', heel hard. Ik keer me om en een gestalte onder een zwarte kap maakt heftige gebaren dat ik hem snel moet volgen. Als ik naderbij kom, zie ik dat het niet de engel des doods is – het is Ramón maar. Hij neemt me mee de trap af naar een kamer. We gaan naar binnen en hij doet de deur dicht. 'Om precies halfelf wil de koorleider met je spreken, in deze kamer. Halfelf,' zegt hij, en heft een rechte wijsvinger boven zijn hoofd richting de hemel, 'exact!' Hij is niet vergeten dat ik gisteravond drie minuten te laat was voor het eten.

Ik ontdek dat deze kamer, mooi en comfortabel, en met leer en hout gestoffeerd, de enige plek is waar praten is toegestaan. Veertig minuten lang klets ik met Luis Perez Suarez, drieënvijftig jaar, kalend, vriendelijk gezicht en een bescheiden manier van doen. Als ze zwijgen lijken ze allemaal zo streng, maar als ze mogen praten – ik probeer ze te betrappen in deze kamer of als ze 's middags buiten lopen op het terrein – zijn ze zonder uitzondering aardige, zeer onderlegde en interessante mensen.

Perez vertelt dat hij als klein kind al verzot was op muziek. Ik heb inmiddels kunnen waarnemen dat hij een uitzonderlijk goed musicus is, een van de meesters in deze stijl. Hij kwam op het seminarie toen hij tien was. Daar kon hij een muzikale opleiding krijgen, die op andere Spaanse scholen niet gegeven werd. Tegenwoordig vind je zelfs op de seminaries nauwelijks nog muziekopleidingen. 'Vooral,' zegt hij met een glimlach, 'omdat je op de seminaries nauwelijks nog mensen aantreft.' Twintig jaar geleden werden in het vlakbij gelegen Pamplona soms wel veertig priesters per jaar gewijd. Nu zijn het er elk jaar twee of drie.

Om benedictijn te worden hoef je geen auditie te doen. 'De monniken zijn hier niet om liederen te zingen. Als hier een jongeman komt en zegt dat-ie gregoriaans wil zingen, de eenstemmige zang wil leren, dan zeg ik: ga maar naar het conservatorium. Een monnik wijdt zich niet aan gezangen, hij wijdt zich aan God.'

Dit betekent ook dat Perez met veel onmuzikale monniken te maken krijgt. '[Die] kunnen ook wel zingen, maar dan een klein beetje – een paar simpele dingetjes. Het echte wonder is dat mensen zonder enige muzikale training, zonder toongevoel en zonder stem, toch een beetje kunnen zingen.'

Ze streven ook niet naar nog een hit-cd. Perez lacht besmuikt. 'Dat was een toevalstreffer. Zuiver geluk. De monniken wilden het helemaal niet. We maken elke twee of drie jaar een plaat, maar die verkopen we gewoon hier, zonder te adverteren. Als iemand van Sony of zo hier langskomt met dollartekens in zijn ogen, en er allerlei technici komen die willen dat we eindeloos gaan repeteren – wij zijn geen beroepsmusici. Daar willen we niet mee lastig worden gevallen. We willen ons leven eenvoudig houden.'

Maar hij is wel vertrouwd met platencontracten. 'Silos heeft een boel geld verdiend – maar niet zo veel als iedereen denkt. Het klooster krijgt zes procent. De platenmaatschappij krijgt al het geld en dat geven ze dan weer uit aan marketing.'

Perez legt alles uit. Hij maakt grappen. Hij lacht. Hij bespreekt de muziek en zingt fragmenten voor met zijn lyrische zilveren tenor. Het overheersende idee is hier dat je een erg mooi geluid moet maken als je met God wilt praten. Niet om hem te laten luisteren, maar om jou te laten luisteren.

'God zit niet om ons gezang verlegen,' zegt Perez. 'Het is voor ons, om ons dichter bij hem te voelen. Een goedgezongen stuk helpt ons om in communicatie met God te geraken, en helpt de anderen die meeluisteren. Maar God luistert niet naar muziek. God luistert naar het hart. God hoort geen melodie. Hij heeft geen oren.' Hij moet lachen om zijn grapje.

Als het afgelopen is, geven we elkaar een hand, glimlachen even, en dan draait hij zich om, trekt zijn kap over zijn hoofd en verdwijnt weer in de gezichtloosheid. In gezwinde stilte snelt hij door de gangen.

De mis om negen uur 's ochtends brengt de stemmen tot nieuwe hoogte. De tonen zweven langs de romaanse bogen omhoog naar de gotische koepels. Ze stijgen op in wolkjes, precies zoals wierook omhoogkringelt. Dit is de oude Latijnse mis vol handelingen en mysterie. Op klassieke wijze wordt de mis opgedragen met de rug naar de kerkgangers, al zijn die er in dit geval eigenlijk niet. In een wolk van wierook draaien ze zich om naar de denkbeeldige congregatie en lopen langs me heen om de eucharistie aan te bieden. Ook dit, de crackers en de wijn, herken ik als iets joods, afkomstig van het gebruikelijke gebed bij brood en wijn, of moet ik zeggen matzes en wijn, bij het laatste avondmaal van Jezus, dat een sederavondviering tijdens Pesach was. Maar bij dit brood en deze wijn wordt gezegd dat ze het lichaam en het bloed van Jezus zijn. Dus sla ik ze af. Ze maken zich er niet druk om. Doorgaans bieden ze dit aan terwijl er niemand zit.

Er melden zich drie andere mensen bij het klooster, mannen die tegen de zestig lopen. Een econoom, een staalfabrikant en een houthandelaar uit Zaragoza, hier vlakbij. Allemaal verlangen ze naar een weekendje rust. Maar daar kom ik pas later achter. Gehoorzaam aan de huisregels praten ook zij niet. Hier praat je alleen met God, en als je met Hem geen soepele omgang hebt, dan kan het hier knap eenzaam worden.

Het middagmaal: zelfs nu er drie andere gasten zijn, word ik alleen aan een lange tafel gezet. Zij gaan samen aan een andere lange tafel zitten. Als je niet mag praten, is het beter om ergens alleen te zitten. Door de microfoon wordt voorgelezen uit een boek dat een of andere theologische kwestie verduidelijkt. Tijdens het eten zie ik dat een van de jongere monniken iets fluistert tegen een andere jonge monnik. Ze moeten samen lachen tot ze merken dat ik naar ze kijk, waarop ze weer verstenen. De maaltijd bestaat uit een puike rosé uit Navarra, een ham die er mag zijn plus erwtensoep, een soort vis – misschien een stokvis, zelfs met een sausje, en daarna een niet-zoete pudding die in een aardewerken kom is geflambeerd. Ik eet gretig en snel. Uiteindelijk merk ik dat mijn buik vol zit, maar toch voel ik geen verzadiging. Totdat ze het dankgebed zingen. Na twintig minuten is het avondeten voorbij.

Hier zijn er altijd kleine verrassingen. Op een avond bevind ik me in een duistere gang, op weg naar de vespers. Ineens merk ik dat ik door zwijgende monniken omringd ben. Met hun kap over het hoofd, op zorgvuldig gekozen afstand van elkaar, alle dezelfde kant op kijkend. Ze staan daar zonder te bewegen. Ik mag niet vragen wat ze aan het doen zijn, dus loop ik maar gewoon door.

Ik sla nooit een officie over. Dat is het achtvoudige ritme van de dag. Mijn hoofd is gedrenkt in het zachte, trage geluid van het eenstemmige gezang. Twee aan twee schuifelen de monniken de stenen kerk met zijn koepel binnen om hun muziek te zingen. En daar sta ik dan te wachten. Maar nu ga ik weer weg. Ik heb mijn sleutel teruggegeven. Ik kan niet echt van iemand afscheid nemen, maar bij mijn vertrek zie ik broeder Javier, die er met zijn grote bril op een iel gezicht zo serieus uitziet, en ik waag het erop om hem het beste te wensen. Hij lacht, geeft me een hand en zegt: 'Kunt u niet blijven tot na het avondeten?'

De Spaanse hemel is blauw als doppertjesbloesem, en vanaf deze hoge plek in de bergen zie ik een weg die dwars door het ruige landschap van Navarra loopt – weids en woest en gemaakt voor grote avonturen. Ik ga nu naar de volgende provincie, Alava, waar de benedictijnen in het Baskisch zingen. Maar eerst wil ik wat tijd doorbrengen in Vitoria, de sombere oude hoofdstad van Baskenland, in een kroeg die ik ken, waar ze goede worst en schelpdieren serveren, en waar mensen oeverloos kletsen boven gedrongen glazen vol plaatselijke rioja. Ik ben daar rond drie uur 's middags. In Leyre het uur van de noon; in Vitoria lunchtijd. Ik vind het fijn om vrij buiten te lopen – vrij om met andere mannen te praten, en beter nog, met vrouwen, en naar believen rond te zwerven in deze wrede maar spannende wereld. Toch blijft de muziek van de monniken in mijn hoofd zitten. Ik hoop dat hij nooit meer weggaat. Ik heb God niet gehoord in Leyre, maar ik herinner me de zuivere, volmaakte klank van de mens die vanuit zijn benarde geestkracht Hem iets probeert te zeggen.